JEAN-PAUL SARTRE

Les Mouches

GALLIMARD

à *Charles Dullin*

*en témoignage de reconnaissance
et d'amitié.*

PERSONNAGES

JUPITER.
ORESTE.
ÉGISTHE.
LE PÉDAGOGUE.
PREMIER GARDE.
DEUXIÈME GARDE.
LE GRAND PRÊTRE.

ÉLECTRE.
CLYTEMNESTRE.
UNE ÉRINNYE.
UNE JEUNE FEMME.
UNE VIEILLE FEMME.

HOMMES ET FEMMES DU PEUPLE.
ÉRINNYES. SERVITEURS.
GARDES DU PALAIS.

Cette pièce a été créée au Théâtre de la Cité (direction Charles Dullin) *par :*

MM. Charles Dullin, Joffre, Paul Œtly, Jean Lannier, Norbert, Lucien Arnaud, Marcel d'Orval, Bender.

Mmes Perret, Olga Dominique, Cassan.

ACTE PREMIER

Une place d'Argos. Une statue de Jupiter, dieu des mouches et de la mort. Yeux blancs, face barbouillée de sang.

SCÈNE PREMIÈRE

De Vieilles Femmes vêtues de noir entrent en procession et font des libations devant la statue. Un Idiot, assis par terre au fond. Entrent Oreste et le Pédagogue, puis Jupiter.

ORESTE. — Hé, bonnes femmes !
Elles se retournent toutes en poussant un cri.

LE PÉDAGOGUE. — Pouvez-vous nous dire ?...
Elles crachent par terre en reculant d'un pas.

LE PÉDAGOGUE. — Écoutez, vous autres, nous sommes des voyageurs égarés. Je ne vous demande qu'un renseignement.
Les vieilles femmes s'enfuient en laissant tomber leurs urnes.

LE PÉDAGOGUE. — Vieilles carnes ! Dirait-on pas

que j'en veux à leurs charmes ? Ah ! mon maître,
le plaisant voyage ! Et que vous fûtes bien inspiré
de venir ici quand il y a plus de cinq cents capitales, tant en Grèce qu'en Italie, avec du bon
vin, des auberges accueillantes et des rues popu-
leuses. Ces gens de montagne semblent n'avoir
jamais vu de touristes ; j'ai demandé cent fois
notre chemin dans cette maudite bourgade qui
rissole au soleil. Partout ce sont les mêmes cris
d'épouvante et les mêmes débandades, les lourdes
courses noires dans les rues aveuglantes. Pouah !
Ces rues désertes, l'air qui tremble, et ce soleil...
Qu'y a-t-il de plus sinistre que le soleil ?

ORESTE. — Je suis né ici...

LE PÉDAGOGUE. — Il paraît. Mais à votre place,
je ne m'en vanterais pas.

ORESTE. — Je suis né ici et je dois demander
mon chemin comme un passant. Frappe à cette
porte !

LE PÉDAGOGUE. — Qu'est-ce que vous espérez ?
Qu'on vous répondra ? Regardez-les un peu, ces
maisons, et parlez-moi de l'air qu'elles ont. Où
sont leurs fenêtres ? Elles les ouvrent sur des
cours bien closes et bien sombres, j'imagine, et
tournent vers la rue leurs culs... (*Geste d'Oreste.*)
C'est bon. Je frappe, mais c'est sans espoir.

> *Il frappe. Silence. Il frappe encore ; la
> porte s'entrouvre.*

UNE VOIX. — Qu'est-ce que vous voulez ?

LE PÉDAGOGUE. — Un simple renseignement.
Savez-vous où demeure...

> *La porte se referme brusquement.*

LE PÉDAGOGUE. — Allez vous faire pendre !
Etes-vous content, seigneur Oreste, et l'expérience

vous suffit-elle ? Je puis, si vous voulez, cogner
à toutes les portes.

Oreste. — Non, laisse.

Le Pédagogue. — Tiens ! Mais il y a quelqu'un
ici. (*Il s'approche de l'idiot.*) Monseigneur !

L'Idiot. — Heu !

Le Pédagogue, *nouveau salut.* — Monseigneur !

L'Idiot. — Heu !

Le Pédagogue. — Daignerez-vous nous indiquer
la maison d'Égisthe ?

L'Idiot. — Heu !

Le Pédagogue. — D'Égisthe, le roi d'Argos.

L'Idiot. — Heu ! Heu !

> *Jupiter passe au fond.*

Le Pédagogue. — Pas de chance ! Le premier
qui ne s'enfuit pas, il est idiot. (*Jupiter repasse.*)
Par exemple ! Il nous a suivis jusqu'ici.

Oreste. — Qui ?

Le Pédagogue. — Le barbu.

Oreste. — Tu rêves.

Le Pédagogue. — Je viens de le voir passer.

Oreste. — Tu te seras trompé.

Le Pédagogue. — Impossible. De ma vie je n'ai
vu pareille barbe, si j'en excepte une, de bronze,
qui orne le visage de Jupiter Ahenobarbus, à
Palerme. Tenez, le voilà qui repasse. Qu'est-ce
qu'il nous veut ?

Oreste. — Il voyage, comme nous.

Le Pédagogue. — Ouais ! Nous l'avons rencontré sur la route de Delphes. Et quand nous nous
sommes embarqués, à Itéa, il étalait déjà sa barbe
sur le bateau. A Nauplie nous ne pouvions faire
un pas sans l'avoir dans nos jambes, et, à pré-

sent, le voilà ici. Cela vous paraît sans doute de simples coïncidences ? (*Il chasse les mouches de la main.*) Ah ! ça, les mouches d'Argos m'ont l'air beaucoup plus accueillantes que les personnes. Regardez celles-ci, mais regardez-les ! (*Il désigne l'œil de l'idiot.*) Elles sont douze sur son œil comme sur une tartine, et lui, cependant, il sourit aux anges, il a l'air d'aimer qu'on lui tète les yeux. Et, par le fait, il vous sort de ces mirettes-là un suint blanc qui ressemble à du lait caillé. (*Il chasse les mouches.*) C'est bon, vous autres, c'est bon ! Tenez, les voilà sur vous. (*Il les chasse.*) Eh bien, cela vous met à l'aise : vous qui vous plaigniez tant d'être un étranger dans votre propre pays, ces bestioles vous font la fête, elles ont l'air de vous reconnaître. (*Il les chasse.*) Allons, paix ! paix ! pas d'effusions ! D'où viennent-elles ? Elles font plus de bruit que des crécelles et sont plus grosses que des libellules.

JUPITER, *qui s'était approché.* — Ce ne sont que des mouches à viande un peu grasses. Il y a quinze ans qu'une puissante odeur de charogne les attira sur la ville. Depuis lors elles engraissent. Dans quinze ans elles auront atteint la taille de petites grenouilles.

Un silence.

LE PÉDAGOGUE. — A qui avons-nous l'honneur ?

JUPITER. — Mon nom est Démétrios. Je viens d'Athènes.

ORESTE. — Je crois vous avoir vu sur le bateau, la quinzaine dernière.

JUPITER. — Je vous ai vu aussi.

Cris horribles dans le palais.

LE PÉDAGOGUE. — Hé là ! Hé là ! Tout cela ne

me dit rien qui vaille et je suis d'avis, mon maître, que nous ferions mieux de nous en aller.

ORESTE. — Tais-toi.

JUPITER. — Vous n'avez rien à craindre. C'est la fête des morts aujourd'hui. Ces cris marquent le commencement de la cérémonie.

ORESTE. — Vous semblez fort renseigné sur Argos.

JUPITER. — J'y viens souvent. J'étais là, savez-vous, au retour du roi Agamemnon, quand la flotte victorieuse des Grecs mouilla dans la rade de Nauplie. On pouvait apercevoir les voiles blanches du haut des remparts. (*Il chasse les mouches.*) Il n'y avait pas encore de mouches, alors. Argos n'était qu'une petite ville de province, qui s'ennuyait indolemment sous le soleil. Je suis monté sur le chemin de ronde avec les autres, les jours qui suivirent, et nous avons longuement regardé le cortège royal qui cheminait dans la plaine. Au soir du deuxième jour la reine Clytemnestre parut sur les remparts, accompagnée d'Égisthe, le roi actuel. Les gens d'Argos virent leurs visages rougis par le soleil couchant ; ils les virent se pencher au-dessus des créneaux et regarder longtemps vers la mer ; et ils pensèrent : « Il va y avoir du vilain. » Mais ils ne dirent rien. Égisthe, vous devez le savoir, c'était l'amant de la reine Clytemnestre. Un ruffian qui, à l'époque, avait déjà de la propension à la mélancolie. Vous semblez fatigué ?

ORESTE. — C'est la longue marche que j'ai faite et cette maudite chaleur. Mais vous m'intéressez.

JUPITER. — Agamemnon était bon homme, mais

il eut un grand tort, voyez-vous. Il n'avait pas
permis que les exécutions capitales eussent lieu
en public. C'est dommage. Une bonne pendaison,
cela distrait, en province, et cela blase un peu
les gens sur la mort. Les gens d'ici n'ont rien dit,
parce qu'ils s'ennuyaient et qu'ils voulaient voir
une mort violente. Ils n'ont rien dit quand ils
ont vu leur roi paraître aux portes de la ville.
Et quand ils ont vu Clytemnestre lui tendre ses
beaux bras parfumés, ils n'ont rien dit. A ce
moment-là il aurait suffi d'un mot, d'un seul
mot, mais ils se sont tus, et chacun d'eux avait,
dans sa tête, l'image d'un grand cadavre à la face
éclatée.

ORESTE. — Et vous, vous n'avez rien dit ?

JUPITER. — Cela vous fâche, jeune homme ?
J'en suis fort aise ; voilà qui prouve vos bons
sentiments. Eh bien non, je n'ai pas parlé : je
ne suis pas d'ici, et ce n'étaient pas mes affaires.
Quant aux gens d'Argos, le lendemain, quand ils
ont entendu leur roi hurler de douleur dans le
palais, ils n'ont rien dit encore, ils ont baissé
leurs paupières sur leurs yeux retournés de
volupté, et la ville tout entière était comme une
femme en rut.

ORESTE. — Et l'assassin règne. Il a connu
quinze ans de bonheur. Je croyais les Dieux
justes.

JUPITER. — Hé là ! N'incriminez pas les Dieux
si vite. Faut-il donc toujours punir ? Valait-il pas
mieux tourner ce tumulte au profit de l'ordre
moral ?

ORESTE. — C'est ce qu'ils ont fait ?

JUPITER. — Ils ont envoyé les mouches.

Le Pédagogue. — Qu'est-ce que les mouches ont à faire là dedans ?

Jupiter. — Oh ! c'est un symbole. Mais ce qu'ils ont fait, jugez-en sur ceci : vous voyez cette vieille cloporte, là-bas, qui trottine de ses petites pattes noires, en rasant les murs ; c'est un beau spécimen de cette faune noire et plate qui grouille dans les lézardes. Je bondis sur l'insecte, je le saisis et je vous le ramène. (*Il saute sur la vieille et la ramène sur le devant de la scène.*) Voilà ma pêche. Regardez-moi l'horreur ! Hou ! Tu clignes des yeux, et pourtant vous êtes habitués, vous autres, aux glaives rougis à blanc du soleil. Voyez ces soubresauts de poisson au bout d'une ligne. Dis-moi, la vieille, il faut que tu aies perdu des douzaines de fils : tu es noire de la tête aux pieds. Allons, parle et je te lâcherai peut-être. De qui portes-tu le deuil ?

La Vieille. — C'est le costume d'Argos.

Jupiter. — Le costume d'Argos ? Ah ! je comprends. C'est le deuil de ton roi que tu portes, de ton roi assassiné.

La Vieille. — Tais-toi ! Pour l'amour de Dieu, tais-toi !

Jupiter. — Car tu es assez vieille pour les avoir entendus, toi, ces énormes cris qui ont tourné en rond tout un matin dans les rues de la ville. Qu'as-tu fait ?

La Vieille. — Mon homme était aux champs, que pouvais-je faire ? J'ai verrouillé ma porte.

Jupiter. — Oui, et tu as entrouvert ta fenêtre pour mieux entendre, et tu t'es mise aux aguets derrière tes rideaux, le souffle coupé, avec une drôle de chatouille au creux des reins.

LA VIEILLE. — Tais-toi !

JUPITER. — Tu as rudement bien dû faire l'amour cette nuit-là. C'était une fête, hein ?

LA VIEILLE. — Ah ! Seigneur, c'était... une horrible fête.

JUPITER. — Une fête rouge dont vous n'avez pu enterrer le souvenir.

LA VIEILLE. — Seigneur ! Etes-vous un mort ?

JUPITER. — Un mort ! Va, va, folle ! Ne te soucie pas de ce que je suis ; tu feras mieux de t'occuper de toi-même et de gagner le pardon du Ciel par ton repentir.

LA VIEILLE. — Ah ! je me repens, Seigneur, si vous saviez comme je me repens, et ma fille aussi se repent, et mon gendre sacrifie une vache tous les ans, et mon petit-fils, qui va sur ses sept ans, nous l'avons élevé dans la repentance : il est sage comme une image, tout blond et déjà pénétré par le sentiment de sa faute originelle.

JUPITER. — C'est bon, va-t'en, vieille ordure, et tâche de crever dans le repentir. C'est ta seule chance de salut. (*La vieille s'enfuit.*) Ou je me trompe fort, mes maîtres, ou voilà de la bonne piété, à l'ancienne, solidement assise sur la terreur.

ORESTE. — Quel homme êtes-vous ?

JUPITER. — Qui se soucie de moi ? Nous parlions des Dieux. Eh bien, fallait-il foudroyer Égisthe ?

ORESTE. — Il fallait... Ah ! je ne sais pas ce qu'il fallait, et je m'en moque ; je ne suis pas d'ici. Est-ce qu'Égisthe se repent ?

JUPITER. — Égisthe ? J'en serais bien étonné. Mais qu'importe. Toute une ville se repent pour lui. Ça se compte au poids, le repentir. (*Cris horribles dans le palais.*) Écoutez ! Afin qu'ils n'oublient jamais les cris d'agonie de leur roi, un bouvier choisi pour sa voix forte hurle ainsi, à chaque anniversaire, dans la grande salle du palais. (*Oreste fait un geste de dégoût.*) Bah ! ce n'est rien ; que direz-vous tout à l'heure, quand on lâchera les morts. Il y a quinze ans, jour pour jour, qu'Agamemnon fut assassiné. Ah ! qu'il a changé depuis, le peuple léger d'Argos, et qu'il est proche à présent de mon cœur !

ORESTE. — De *votre* cœur ?

JUPITER. — Laissez, laissez, jeune homme. Je parlais pour moi-même. J'aurais dû dire : proche du cœur des Dieux.

ORESTE. — Vraiment ? Des murs barbouillés de sang, des millions de mouches, une odeur de boucherie, une chaleur de cloporte, des rues désertes, un dieu à face d'assassiné, des larves terrorisées qui se frappent la poitrine au fond de leurs maisons — et ces cris, ces cris insupportables : est-ce là ce qui plaît à Jupiter ?

JUPITER. — Ah ! ne jugez pas les Dieux, jeune homme, ils ont des secrets douloureux.

Un silence.

ORESTE. — Agamemnon avait une fille, je crois ? Une fille du nom d'Électre ?

JUPITER. — Oui. Elle vit ici. Dans le palais d'Égisthe — que voilà.

ORESTE. — Ah ! c'est le palais d'Égisthe ? — Et que pense Électre de tout ceci ?

JUPITER. — Bah ! C'est une enfant. Il y avait un fils aussi, un certain Oreste. On le dit mort.

ORESTE. — Mort ! Parbleu...

LE PÉDAGOGUE. — Mais oui, mon maître, vous savez bien qu'il est mort. Les gens de Nauplie nous ont conté qu'Égisthe avait donné l'ordre de l'assassiner, peu après la mort d'Agamemnon.

JUPITER. — Certains ont prétendu qu'il était vivant. Ses meurtriers, pris de pitié, l'auraient abandonné dans la forêt. Il aurait été recueilli et élevé par de riches bourgeois d'Athènes. Pour moi, je souhaite qu'il soit mort.

ORESTE. — Pourquoi, s'il vous plaît ?

JUPITER. — Imaginez qu'il se présente un jour aux portes de cette ville...

ORESTE. — Eh bien ?

JUPITER. — Bah ! Tenez, si je le rencontrais alors, je lui dirais... je lui dirais ceci : « Jeune homme... » Je l'appellerais : jeune homme, car il a votre âge, à peu près, s'il vit. A propos, Seigneur, me direz-vous votre nom ?

ORESTE. — Je me nomme Philèbe et je suis de Corinthe. Je voyage pour m'instruire, avec un esclave qui fut mon précepteur.

JUPITER. — Parfait. Je dirais donc : « Jeune homme, allez-vous-en ! Que cherchez-vous ici ? Vous voulez faire valoir vos droits ? Eh ! vous êtes ardent et fort, vous feriez un brave capitaine dans une armée bien batailleuse, vous avez mieux à faire qu'à régner sur une ville à demi morte, une charogne de ville tourmentée par les mouches. Les gens d'ici sont de grands pécheurs, mais voici qu'ils se sont engagés dans la voie du rachat. Laissez-les, jeune homme, laissez-les, respectez leur douloureuse entreprise, éloignez-vous sur la pointe des pieds. Vous ne sauriez partager leur repentir, car vous n'avez pas eu de part à leur

crime, et votre impertinente innocence vous sépare d'eux comme un fossé profond. Allez-vous-
en, si vous les aimez un peu. Allez-vous-en, car
vous allez les perdre : pour peu que vous les
arrêtiez en chemin, que vous les détourniez, fût-ce
un instant, de leurs remords, toutes leurs fautes
vont se figer sur eux comme de la graisse refroi-
die. Ils ont mauvaise conscience, ils ont peur —
et la peur, la mauvaise conscience ont un fumet
délectable pour les narines des Dieux. Oui, elles
plaisent aux Dieux, ces âmes pitoyables. Vou-
driez-vous leur ôter la faveur divine ? Et que leur
donnerez-vous en échange ? Des digestions tran-
quilles, la paix morose des provinces et l'ennui,
ah ! l'ennui si quotidien du bonheur. Bon voyage,
jeune homme, bon voyage ; l'ordre d'une cité et
l'ordre des âmes sont instables : si vous y tou-
chez, vous provoquerez une catastrophe. (*Le regardant dans les yeux.*) Une terrible catastrophe
qui retombera sur vous.

Oreste. — Vraiment ? C'est là ce que vous
diriez ? Eh bien, si j'étais, moi, ce jeune homme,
je vous répondrais... (*Ils se mesurent du regard ;
le Pédagogue tousse.*) Bah ! Je ne sais pas ce que
je vous répondrais. Peut-être avez-vous raison, et
puis cela ne me regarde pas.

Jupiter. — A la bonne heure. Je souhaiterais
qu'Oreste fût aussi raisonnable. Allons, la paix
soit sur vous ; il faut que j'aille à mes affaires.

Oreste. — La paix soit sur vous.

Jupiter. — A propos, si ces mouches vous
ennuient, voici le moyen de vous en débarrasser ;
regardez cet essaim qui vrombit autour de vous :
je fais un mouvement du poignet, un geste du

bras, et je dis : « Abraxas, galla, galla, tsé, tsé. »
Et voyez : les voilà qui dégringolent et qui se
mettent à ramper par terre comme des chenilles.

ORESTE. — Par Jupiter !

JUPITER. — Ce n'est rien. Un petit talent de
société. Je suis charmeur de mouches, à mes
heures. Bonjour. Je vous reverrai.

Il sort.

SCÈNE II

ORESTE, LE PÉDAGOGUE

LE PÉDAGOGUE. — **Méfiez-vous.** Cet homme-là
sait qui vous êtes.

ORESTE. — Est-ce un homme ?

LE PÉDAGOGUE. — Ah ! mon maître, que vous
me peinez ! Que faites-vous donc de mes leçons
et de ce scepticisme souriant que je vous ensei-
gnai ? « Est-ce un homme ? » Parbleu, il n'y a
que des hommes, et c'est déjà bien assez. Ce
barbu est un homme, quelque espion d'Égisthe.

ORESTE. — Laisse ta philosophie. Elle m'a fait
trop de mal.

LE PÉDAGOGUE. — Du mal ! Est-ce donc nuire
aux gens que de leur donner la liberté d'esprit.
Ah ! comme vous avez changé ! Je lisais en vous
autrefois... Me direz-vous enfin ce que vous médi-
tez ? Pourquoi m'avoir entraîné ici ? Et qu'y voulez-vous faire ?

ORESTE. — T'ai-je dit que j'avais quelque chose
à y faire ? Allons ! tais-toi. (*Il s'approche du*

palais.) Voilà *mon* palais. C'est là que mon père est né. C'est là qu'une putain et son maquereau l'ont assassiné. J'y suis né aussi, moi. J'avais près de trois ans quand les soudards d'Égisthe m'emportèrent. Nous sommes sûrement passés par cette porte ; l'un d'eux me tenait dans ses bras, j'avais les yeux grands ouverts et je pleurais sans doute... Ah ! pas le moindre souvenir. Je vois une grande bâtisse muette, guindée dans sa solennité provinciale. Je la *vois* pour la première fois.

Le Pédagogue. — Pas de souvenirs, maître ingrat, quand j'ai consacré dix ans de ma vie à vous en donner ? Et tous ces voyages que nous fîmes ? Et ces villes que nous visitâmes ? Et ce cours d'archéologie que je professai pour vous seul ? Pas de souvenirs ? Il y avait naguère tant de palais, de sanctuaires et de temples pour peupler votre mémoire, que vous eussiez pu, comme le géographe Pausanias, écrire un guide de Grèce.

Oreste. — Des palais ! C'est vrai. Des palais, des colonnes, des statues ! Pourquoi ne suis-je pas plus lourd, moi qui ai tant de pierres dans la tête ? Et les trois cent quatre-vingt-sept marches du temple d'Éphèse, tu ne m'en parles pas ? Je les ai gravies une à une, et je me les rappelle toutes. La dix-septième, je crois, était brisée. Ah ! un chien, un vieux chien qui se chauffe, couché près du foyer, et qui se soulève un peu, à l'entrée de son maître, en gémissant doucement pour le saluer, un chien a plus de mémoire que moi : c'est *son* maître qu'il reconnaît. *Son* maître. Et qu'est-ce qui est à moi ?

Le Pédagogue. — Que faites-vous de la culture, Monsieur ? Elle est à vous, votre culture, et je vous l'ai composée avec amour, comme un bouquet, en assortissant les fruits de ma sagesse et les trésors de mon expérience. Ne vous ai-je pas fait, de bonne heure, lire tous les livres pour vous familiariser avec la diversité des opinions humaines et parcourir cent Etats, en vous remontrant en chaque circonstance comme c'est chose variable que les mœurs des hommes. A présent vous voilà jeune, riche et beau, avisé comme un vieillard, affranchi de toutes les servitudes et de toutes les croyances, sans famille, sans patrie, sans religion, sans métier, libre pour tous les engagements et sachant qu'il ne faut jamais s'engager, un homme supérieur enfin, capable par surcroît d'enseigner la philosophie ou l'architecture dans une grande ville universitaire, et vous vous plaignez !

ORESTE. — Mais non : je ne me plains pas. Je ne peux pas me plaindre : tu m'as laissé la liberté de ces fils que le vent arrache aux toiles d'araignée et qui flottent à dix pieds du sol ; je ne pèse pas plus qu'un fil et je vis en l'air. Je sais que c'est une chance et je l'apprécie comme il convient. (*Un temps.*) Il y a des hommes qui naissent engagés : ils n'ont pas le choix, on les a jetés sur un chemin, au bout du chemin il y a un acte qui les attend, *leur* acte ; ils vont, et leurs pieds nus pressent fortement la terre et s'écorchent aux cailloux. Ça te paraît vulgaire, à toi, la joie d'aller *quelque part ?* Et il y en a d'autres, des silencieux, qui sentent au fond de leur cœur le poids d'images troubles et terrestres ; leur vie a été changée parce que, un jour de leur enfance, à cinq ans, à sept ans... C'est bon : ce ne sont

pas des hommes supérieurs. Je savais déjà, moi,
à sept ans, que j'étais exilé ; les odeurs et les
sons, le bruit de la pluie sur les toits, les trem-
blements de la lumière, je les laissais glisser le
long de mon corps et tomber autour de moi ; je
savais qu'ils appartenaient aux autres, et que je
ne pourrais jamais en faire *mes* souvenirs. Car les
souvenirs sont de grasses nourritures pour ceux
qui possèdent les maisons, les bêtes, les domes-
tiques et les champs. Mais moi... Moi, je suis
libre, Dieu merci. Ah ! comme je suis libre. Et
quelle superbe absence que mon âme. (*Il s'approche du palais.*) J'aurais vécu là. Je n'aurais
lu aucun de tes livres, et peut-être je n'aurais
pas su lire : il est rare qu'un prince sache lire.
Mais, par cette porte, je serais entré et sorti dix
mille fois. Enfant, j'aurais joué avec ses battants,
je me serais arc-bouté contre eux, ils auraient
grincé sans céder, et mes bras auraient appris
leur résistance. Plus tard, je les aurais poussés,
la nuit, en cachette, pour aller retrouver des
filles. Et, plus tard encore, au jour de ma majo-
rité, les esclaves auraient ouvert la porte toute
grande et j'en aurais franchi le seuil à cheval.
Ma vieille porte de bois. Je saurais trouver, les
yeux fermés, ta serrure. Et cette éraflure, là, en
bas, c'est moi peut-être qui te l'aurais faite, par
maladresse, le premier jour qu'on m'aurait confié
une lance. (*Il s'écarte.*) Style petit-dorien, pas
vrai ? Et que dis-tu des incrustations d'or ? J'ai
vu les pareilles à Dodone : c'est du beau travail.
Allons, je vais te faire plaisir : ce n'est pas *mon*
palais, ni *ma* porte. Et nous n'avons rien à faire
ici.

LE PÉDAGOGUE. — Vous voilà raisonnable. Qu'auriez-vous gagné à y vivre ? Votre âme, à l'heure qu'il est, serait terrorisée par un abject repentir.

ORESTE, *avec éclat.* — Au moins serait-il à moi. Et cette chaleur qui roussit mes cheveux, elle serait à moi. A moi le bourdonnement de ces mouches. A cette heure-ci, nu dans une chambre sombre du palais, j'observerais par la fente d'un volet la couleur rouge de la lumière, j'attendrais que le soleil décline et que monte du sol, comme une odeur, l'ombre fraîche d'un soir d'Argos, pareil à cent mille autres et toujours neuf, l'ombre d'un soir à moi. Allons-nous-en, pédagogue ; est-ce que tu ne comprends pas que nous sommes en train de croupir dans la chaleur des autres ?

LE PÉDAGOGUE. — Ah ! Seigneur, que vous me rassurez. Ces derniers mois — pour être exact, depuis que je vous ai révélé votre naissance — je vous voyais changer de jour en jour, et je ne dormais plus. Je craignais...

ORESTE. — Quoi ?

LE PÉDAGOGUE. — Mais vous allez vous fâcher.

ORESTE. — Non. Parle.

LE PÉDAGOGUE. — Je craignais — on a beau s'être entraîné de bonne heure à l'ironie sceptique, il vous vient parfois de sottes idées — bref, je me demandais si vous ne méditiez pas de chasser Égisthe et de prendre sa place.

ORESTE, *lentement.* — Chasser Égisthe ? (*Un temps.*) Tu peux te rassurer, bonhomme, il est trop tard. Ce n'est pas l'envie qui me manque, de saisir par la barbe ce ruffian de sacristie et

de l'arracher du trône de mon père. Mais quoi ?
qu'ai-je à faire avec ces gens ? Je n'ai pas vu
naître un seul de leurs enfants, ni assisté aux
noces de leurs filles, je ne partage pas leurs
remords et je ne connais pas un seul de leurs
noms. C'est le barbu qui a raison : un roi doit
avoir les mêmes souvenirs que ses sujets. Lais-
sons-les, bonhomme. Allons-nous-en. Sur la pointe
des pieds. Ah ! s'il était un acte, vois-tu, un acte
qui me donnât droit de cité parmi eux ; si je
pouvais m'emparer, fût-ce par un crime, de leurs
mémoires, de leur terreur et de leurs espérances
pour combler le vide de mon cœur, dussé-je tuer
ma propre mère...

Le Pédagogue. — Seigneur !

Oreste. — Oui. Ce sont des songes. Partons.
Vois si l'on pourra nous procurer des chevaux,
et nous pousserons jusqu'à Sparte, où j'ai des
amis.

Entre Électre.

SCÈNE III

LES MÊMES, ÉLECTRE

Électre, *portant une caisse, s'approche sans
les voir de la statue de Jupiter.* — Ordure ! Tu
peux me regarder, va ! avec tes yeux ronds dans
ta face barbouillée de jus de framboise, tu ne me
fais pas peur. Dis, elles sont venues, ce matin,
les saintes femmes, les vieilles toupies en robe
noire. Elles ont fait craquer leurs gros souliers

autour de toi. Tu étais content, hein, croquemi-
taine, tu les aimes, les vieilles ; plus elles res-
semblent à des mortes et plus tu les aimes. Elles
ont répandu à tes pieds leurs vins les plus précieux parce que c'est ta fête, et des relents moisis
montaient de leurs jupes à ton nez ; tes narines
sont encore chatouillées de ce parfum délectable.
(*Se frottant à lui.*) Eh bien, sens-moi, à présent,
sens mon odeur de chair fraîche. Je suis jeune,
moi, je suis vivante, ça doit te faire horreur. Moi
aussi, je viens te faire mes offrandes pendant que
toute la ville est en prières. Tiens : voilà des
épluchures et toute la cendre du foyer, et de
vieux bouts de viande grouillants de vers, et un
morceau de pain souillé, dont nos porcs n'ont pas
voulu, elles aimeront ça, tes mouches. Bonne
fête, va, bonne fête, et souhaitons que ce soit la
dernière. Je ne suis pas bien forte et je ne peux
pas te flanquer par terre. Je peux te cracher des-
sus, c'est tout ce que je peux faire. Mais il viendra, celui que j'attends, avec sa grande épée. Il
te regardera en rigolant, comme ça, les mains sur
les hanches et renversé en arrière. Et puis il
tirera son sabre et il te fendra de haut en bas,
comme ça ! Alors les deux moitiés de Jupiter
dégringoleront, l'une à gauche, l'autre à droite,
et tout le monde verra qu'il est en bois blanc. Il
est en bois tout blanc, le dieu des morts. L'horreur et le sang sur le visage et le vert sombre des
yeux, ça n'est qu'un vernis, pas vrai ? Toi, tu
sais que tu es tout blanc à l'intérieur, blanc
comme un corps de nourrisson ; tu sais qu'un
coup de sabre te fendra net et que tu ne pourras
même pas saigner. Du bois blanc ! Du bon bois

blanc : ça brûle bien. (*Elle aperçoit Oreste.*) Ah !

ORESTE. — N'aie pas peur.

ÉLECTRE. — Je n'ai pas peur. Pas peur du tout.
Qui es-tu ?

ORESTE. — Un étranger.

ÉLECTRE. — Sois le bienvenu. Tout ce qui est
étranger à cette ville m'est cher. Quel est ton
nom ?

ORESTE. — Je m'appelle Philèbe et je suis de
Corinthe.

ÉLECTRE. — Ah ? De Corinthe ? Moi, on m'appelle Électre.

ORESTE. — Électre. (*Au Pédagogue.*) Laisse-
nous.

Le Pédagogue sort.

SCÈNE IV

ORESTE, ÉLECTRE

ÉLECTRE. — Pourquoi me regardes-tu ainsi ?

ORESTE. — Tu es belle. Tu ne ressembles pas
aux gens d'ici.

ÉLECTRE. — Belle ? Tu es sûr que je suis belle ?
Aussi belle que les filles de Corinthe ?

ORESTE. — Oui.

ÉLECTRE. — Ils ne me le disent pas, ici. Ils ne
veulent pas que je le sache. D'ailleurs à quoi ça
me sert-il, je ne suis qu'une servante.

ORESTE. — Servante ? Toi ?

ÉLECTRE. — La dernière des servantes. Je lave
le linge du roi et de la reine. C'est un linge fort

sale et plein d'ordures. Tous leurs dessous, les
chemises qui ont enveloppé leurs corps pourris,
celle que revêt Clytemnestre quand le roi partage
sa couche : il faut que je lave tout ça. Je ferme
les yeux et je frotte de toutes mes forces. Je fais
la vaisselle aussi. Tu ne me crois pas ? Regarde
mes mains. Il y en a, hein, des gerçures et des
crevasses ? Quels drôles d'yeux tu fais. Est-ce
qu'elles auraient l'air, par hasard, de mains de
princesse ?

ORESTE. — Pauvres mains. Non. Elles n'ont
pas l'air de mains de princesse. Mais poursuis.
Qu'est-ce qu'ils te font faire encore ?

ÉLECTRE. — Eh bien, tous les matins, je dois
vider la caisse d'ordures. Je la traîne hors du
palais et puis... tu as vu ce que j'en fais, des
ordures. Ce bonhomme de bois, ce Jupiter, dieu
de la mort et des mouches. L'autre jour, le Grand
Prêtre, qui venait lui faire ses courbettes, a marché sur des trognons de choux et de navets, sur
des coques de moules. Il a pensé perdre l'esprit.
Dis, vas-tu me dénoncer ?

ORESTE. — Non.

ÉLECTRE. — Dénonce-moi si tu veux, je m'en
moque. Qu'est-ce qu'ils peuvent me faire de
plus ? Me battre ? Ils m'ont déjà battue. M'enfer-
mer dans une grande tour, tout en haut ? Ça ne
serait pas une mauvaise idée, je ne verrais plus
leurs visages. Le soir, imagine, quand j'ai fini
mon travail, ils me récompensent : il faut que
je m'approche d'une grosse et grande femme aux
cheveux teints. Elle a des lèvres grasses et des
mains très blanches, des mains de reine qui
sentent le miel. Elle pose ses mains sur mes

épaules, elle colle ses lèvres sur mon front, elle dit : « Bonsoir, Électre. » Tous les soirs. Tous les soirs je sens vivre contre ma peau cette viande chaude et goulue. Mais je me tiens, je ne suis jamais tombée. C'est ma mère, tu comprends. Si j'étais dans la tour, elle ne m'embrasserait plus.

ORESTE. — Tu n'as jamais songé à t'enfuir ?

ÉLECTRE. — Je n'ai pas ce courage-là : j'aurais peur, seule sur les routes.

ORESTE. — N'as-tu pas une amie qui puisse t'accompagner ?

ÉLECTRE. — Non, je n'ai que moi. Je suis une gale, une peste : les gens d'ici te le diront. Je n'ai pas d'amies.

ORESTE. — Quoi, pas même une nourrice, une vieille femme qui t'ait vue naître et qui t'aime un peu ?

ÉLECTRE. — Pas même. Demande à ma mère : je découragerais les cœurs les plus tendres.

ORESTE. — Et tu demeureras ici toute ta vie ?

ÉLECTRE, *dans un cri.* — Ah ! pas toute ma vie ! Non ; écoute ; j'attends quelque chose.

ORESTE. — Quelque chose ou quelqu'un ?

ÉLECTRE. — Je ne te le dirai pas. Parle plutôt. Tu es beau, toi aussi. Vas-tu rester longtemps ?

ORESTE. — Je devais partir aujourd'hui même. Et puis à présent...

ÉLECTRE. — A présent ?

ORESTE. — Je ne sais plus.

ÉLECTRE. — C'est une belle ville, Corinthe ?

ORESTE. — Très belle.

ÉLECTRE. — Tu l'aimes bien ? Tu en es fier ?

ORESTE. — Oui.

ÉLECTRE. — Ça me semblerait drôle, à moi,
d'être fière de ma ville natale. Explique-moi.

ORESTE. — Eh bien... Je ne sais pas. Je ne
peux pas t'expliquer.

ÉLECTRE. — Tu ne *peux* pas ? (*Un temps.*)
C'est vrai qu'il y a des places ombragées à Corinthe ? Des places où l'on se promène le soir ?

ORESTE. — C'est vrai.

ÉLECTRE. — Et tout le monde est dehors ? Tout
le monde se promène ?

ORESTE. — Tout le monde.

ÉLECTRE. — Les garçons avec les filles ?

ORESTE. — Les garçons avec les filles.

ÉLECTRE. — Et ils ont toujours quelque chose
à se dire ? Et ils se plaisent bien les uns avec les
autres ? Et on les entend, tard dans la nuit, rire
ensemble ?

ORESTE. — Oui.

ÉLECTRE. — Je te parais niaise ? C'est que j'ai
tant de peine à imaginer des promenades, des
chants, des sourires. Les gens d'ici sont rongés
par la peur. Et moi...

ORESTE. — Toi ?

ÉLECTRE. — Par la haine. Et qu'est-ce qu'elles
font toute la journée, les jeunes filles de Corinthe ?

ORESTE. — Elles se parent, et puis elle chantent
ou elles touchent du luth, et puis elles rendent
visite à leurs amies et, le soir, elles vont au bal.

ÉLECTRE. — Et elles n'ont aucun souci ?

ORESTE. — Elles en ont de tout petits.

ÉLECTRE. — Ah ? Écoute-moi : les gens de
Corinthe, est-ce qu'ils ont des remords ?

ORESTE. — Quelquefois. Pas souvent.

ÉLECTRE. — Alors ils font ce qu'ils veulent et puis après ils n'y pensent plus ?

ORESTE. — C'est cela.

ÉLECTRE. — C'est drôle. (*Un temps.*) Et dis-moi encore ceci, car j'ai besoin de le savoir à cause de quelqu'un... de quelqu'un que j'attends : suppose qu'un gars de Corinthe, un de ces gars qui rient le soir avec les filles, trouve, au retour d'un voyage, son père assassiné, sa mère dans le lit du meurtrier et sa sœur en esclavage, est-ce qu'il filerait doux, le gars de Corinthe, est-ce qu'il s'en irait à reculons, en faisant des révérences, chercher des consolations auprès de ses amies ? ou bien est-ce qu'il sortirait son épée et est-ce qu'il cognerait sur l'assassin jusqu'à lui faire éclater la tête ? — Tu ne réponds pas ?

ORESTE. — Je ne sais pas.

ÉLECTRE. — Comment ? Tu ne sais pas ?

Voix de Clytemnestre. — Électre !

ÉLECTRE. — Chut.

ORESTE. — Qu'y a-t-il ?

ÉLECTRE. — C'est ma mère, la reine Clytemnestre.

SCÈNE V

ORESTE, ÉLECTRE, CLYTEMNESTRE

ÉLECTRE. — Eh bien, Philèbe ? Elle te fait donc peur ?

ORESTE. — Cette tête, j'ai tenté cent fois de

l'imaginer et j'avais fini par la *voir*, lasse et molle sous l'éclat des fards. Mais je ne m'attendais pas à ces yeux morts.

CLYTEMNESTRE. — Électre, le roi t'ordonne de t'apprêter pour la cérémonie. Tu mettras ta robe noire et tes bijoux. Eh bien ? Que signifient ces yeux baissés ? Tu serres les coudes contre tes hanches maigres, ton corps t'embarrasse... Tu es souvent ainsi en ma présence ; mais je ne me laisserai plus prendre à ces singeries : tout à l'heure, par la fenêtre, j'ai vu une autre Électre, aux gestes larges, aux yeux pleins de feu... Me regarderas-tu en face ? Me répondras-tu, à la fin ?

ÉLECTRE. — Avez-vous besoin d'une souillon pour rehausser l'éclat de votre fête ?

CLYTEMNESTRE. — Pas de comédie. Tu es princesse, Électre, et le peuple t'attend, comme chaque année.

ÉLECTRE. — Je suis princesse, en vérité ? Et vous vous en souvenez une fois l'an, quand le peuple réclame un tableau de notre vie de famille pour son édification ? Belle princesse, qui lave la vaisselle et garde les cochons ! Égisthe m'entourera-t-il les épaules de son bras, comme l'an dernier, et sourira-t-il contre ma joue en murmurant à mon oreille des paroles de menace ?

CLYTEMNESTRE. — Il dépend de toi qu'il en soit autrement.

ÉLECTRE. — Oui, si je me laisse infecter par vos remords et si j'implore le pardon des Dieux pour un crime que je n'ai pas commis. Oui, si je baise les mains d'Égisthe en l'appelant mon père. Pouah ! Il a du sang séché sous les ongles.

CLYTEMNESTRE. — Fais ce que tu veux. Il y a

longtemps que j'ai renoncé à te donner des ordres
en mon nom. Je t'ai transmis ceux du roi.

ÉLECTRE. — Qu'ai-je à faire des ordres d'Égisthe ? C'est votre mari, ma mère, votre très cher
mari, non le mien.

CLYTEMNESTRE. — Je n'ai rien à te dire, Électre.
Je vois que tu travailles à ta perte et à la nôtre.
Mais comment te conseillerais-je, moi qui ai ruiné
ma vie en un seul matin ? Tu me hais, mon
enfant, mais ce qui m'inquiète davantage, c'est
que tu me ressembles : j'ai eu ce visage pointu,
ce sang inquiet, ces yeux sournois — et il n'en
est rien sorti de bon.

ÉLECTRE. — Je ne veux pas vous ressembler !
Dis, Philèbe, toi qui nous vois toutes deux, l'une
près de l'autre, ça n'est pas vrai, je ne lui ressemble pas ?

ORESTE. — Que dire ? Son visage semble un
champ ravagé par la foudre et la grêle. Mais il
y a sur le tien comme une promesse d'orage : un
jour la passion va le brûler jusqu'à l'os.

ÉLECTRE. — Une promesse d'orage ? Soit. Cette
ressemblance-là, je l'accepte. Puisses-tu dire vrai.

CLYTEMNESTRE. — Et toi ? Toi qui dévisages
ainsi les gens, qui donc es-tu ? Laisse-moi te
regarder à mon tour. Et que fais-tu ici ?

ÉLECTRE, *vivement*. — C'est un Corinthien du
nom de Philèbe. Il voyage.

CLYTEMNESTRE. — Philèbe ? Ah !

ÉLECTRE. — Vous sembliez craindre un autre
nom ?

CLYTEMNESTRE. — Craindre ? Si j'ai gagné
quelque chose à me perdre, c'est que je ne peux
plus rien craindre, à présent. Approche, étranger,

et sois le bienvenu. Comme tu es jeune. Quel âge
as-tu donc ?

ORESTE. — Dix-huit ans.

CLYTEMNESTRE. — Tes parents vivent encore ?

ORESTE. -— Mon père est mort.

CLYTEMNESTRE. — Et ta mère ? Elle doit avoir
mon âge à peu près ? Tu ne dis rien ? C'est
qu'elle te paraît plus jeune que moi sans doute,
elle peut encore rire et chanter en ta compagnie.
L'aimes-tu ? Mais réponds ! Pourquoi l'as-tu
quittée ?

ORESTE. — Je vais m'engager à Sparte, dans
les troupes mercenaires.

CLYTEMNESTRE. — Les voyageurs font à l'ordi-
naire un détour de vingt lieues pour éviter notre
ville. On ne t'a donc pas prévenu ? Les gens de
la plaine nous ont mis en quarantaine : ils regardent notre repentir comme une peste, et ils
ont peur d'être contaminés.

ORESTE. — Je le sais.

CLYTEMNESTRE. — Ils t'ont dit qu'un crime
inexpiable, commis voici quinze ans, nous écra-
sait ?

ORESTE. — Ils me l'ont dit.

CLYTEMNESTRE. — Que la reine Clytemnestre
était la plus coupable ? Que son nom était maudit
entre tous ?

ORESTE. — Ils me l'ont dit.

CLYTEMNESTRE. — Et tu es venu pourtant ?
Étranger, je suis la reine Clytemnestre.

ÉLECTRE. — Ne t'attendris pas, Philèbe, la
reine se divertit à notre jeu national : le jeu des
confessions publiques. Ici, chacun crie ses péchés
à la face de tous ; et il n'est pas rare, aux jours

fériés, de voir quelque commerçant, après avoir baissé le rideau de fer de sa boutique, se traîner sur les genoux dans les rues, frottant ses cheveux de poussière et hurlant qu'il est un assassin, un adultère ou un prévaricateur. Mais les gens d'Argos commencent à se blaser : chacun connaît par cœur les crimes des autres ; ceux de la reine en particulier n'amusent plus personne, ce sont des crimes officiels, des crimes de fondation, pour ainsi dire. Je te laisse à penser sa joie lorsqu'elle t'a vu, tout jeune, tout neuf, ignorant jusqu'à son nom : quelle occasion exceptionnelle ! Il lui semble qu'elle se confesse pour la première fois.

CLYTEMNESTRE. — Tais-toi. N'importe qui peut me cracher au visage, en m'appelant criminelle et prostituée. Mais personne n'a le droit de juger mes remords.

ÉLECTRE. — Tu vois, Philèbe : c'est la règle du jeu. Les gens vont t'implorer pour que tu les condamnes. Mais prends bien garde de ne les juger que sur les fautes qu'ils t'avouent : les autres ne regardent personne, et ils te sauraient mauvais gré de les découvrir.

CLYTEMNESTRE. — Il y a quinze ans, j'étais la plus belle femme de Grèce. Vois mon visage et juge de ce que j'ai souffert. Je te le dis sans fard ! ce n'est pas la mort du vieux bouc que je regrette ! Quand je l'ai vu saigner dans sa baignoire, j'ai chanté de joie, j'ai dansé. Et aujourd'hui encore, après quinze ans passés, je n'y songe pas sans un tressaillement de plaisir. Mais j'avais un fils — il aurait ton âge. Quand Égisthe l'a livré aux mercenaires, je...

ÉLECTRE. — Vous aviez une fille aussi, ma

mère, il me semble. Vous en avez fait une laveuse
de vaisselle. Mais cette faute-là ne vous tourmente
pas beaucoup.

CLYTEMNESTRE. — Tu es jeune, Électre. Il a
beau jeu de condamner celui qui est jeune et qui
n'a pas eu le temps de faire le mal. Mais
patience : un jour, tu traîneras après toi un
crime irréparable. A chaque pas tu croiras t'en
éloigner, et pourtant il sera toujours aussi lourd
à traîner. Tu te retourneras et tu le verras derrière toi, hors d'atteinte, sombre et pur comme
un cristal noir. Et tu ne le comprendras même
plus, tu diras : « Ce n'est pas moi, ce n'est pas
moi qui l'ai fait. » Pourtant, il sera là, cent fois
renié, toujours là, à te tirer en arrière. Et tu
sauras enfin que tu as engagé ta vie sur un seul
coup de dés, une fois pour toutes, et que tu n'as
plus rien à faire qu'à haler ton crime jusqu'à ta
mort. Telle est la loi, juste et injuste, du repentir. Nous verrons alors ce que deviendra ton jeune
orgueil.

ÉLECTRE. — Mon *jeune* orgueil ? Allez, c'est
votre jeunesse que vous regrettez, plus encore
que votre crime ; c'est ma jeunesse que vous haïs-
sez, plus encore que mon innocence.

CLYTEMNESTRE. — Ce que je hais en toi,
Électre, c'est moi-même. Ce n'est pas ta jeunesse
— oh non ! — c'est la mienne.

ÉLECTRE. — Et moi, c'est *vous*, c'est bien *vous*
que je hais.

CLYTEMNESTRE. — Honte ! Nous nous injurions
comme deux femmes de même âge qu'une riva-
lité amoureuse a dressées l'une contre l'autre. Et
pourtant je suis ta mère. Je ne sais qui tu es,

jeune homme, ni ce que tu viens faire parmi
nous, mais ta présence est néfaste. Électre me
déteste, et je ne l'ignore pas. Mais nous avons
durant quinze années gardé le silence, et seuls
nos regards nous trahissaient. Tu es venu, tu nous
as parlé, et nous voilà, montrant les dents et
grondant comme des chiennes. Les lois de la cité
nous font un devoir de t'offrir l'hospitalité, mais,
je ne te le cache pas, je souhaite que tu t'en
ailles. Quant à toi, mon enfant, ma trop fidèle
image, je ne t'aime pas, c'est vrai. Mais je me
couperais plutôt la main droite que de te nuire.
Tu ne le sais que trop ; tu abuses de ma faiblesse.
Mais je ne te conseille pas de dresser contre
Égisthe ta petite tête venimeuse : il sait, d'un
coup de bâton, briser les reins des vipères. Crois-
moi, fais ce qu'il t'ordonne, sinon il t'en cuira.

ÉLECTRE. — Vous pouvez répondre au roi que
je ne paraîtrai pas à la fête. Sais-tu ce qu'ils font,
Philèbe ? Il y a, au-dessus de la ville, une caverne
dont nos jeunes gens n'ont jamais trouvé le fond ;
on dit qu'elle communique avec les enfers, le
Grand Prêtre l'a fait boucher par une grosse
pierre. Eh bien, le croiras-tu ? A chaque anniversaire, le peuple se réunit devant cette caverne,
des soldats repoussent de côté la pierre qui en
bouche l'entrée, et nos morts, à ce qu'on dit,
remontant des enfers, se répandent dans la ville.
On met leurs couverts sur les tables, on leur
offre des chaises et des lits, on se pousse un peu
pour leur faire place à la veillée, ils courent partout, il n'y en a plus que pour eux. Tu devines
les lamentations des vivants : « Mon petit mort,
mon petit mort, je n'ai pas voulu t'offenser, par-

donne-moi. » Demain matin, au chant du coq, ils rentreront sous terre, on roulera la pierre contre l'entrée de la grotte, et ce sera fini jusqu'à l'année prochaine. Je ne veux pas prendre part à ces mômeries. Ce sont leurs morts, non les miens.

CLYTEMNESTRE. — Si tu n'obéis pas de ton plein gré, le roi a donné l'ordre qu'on t'amène de force.

ÉLECTRE. — De force ?... Ha ! ha ! De force ? C'est bon. Ma bonne mère, s'il vous plaît, assurez le roi de mon obéissance. Je paraîtrai à la fête, et, puisque le peuple veut m'y voir, il ne sera pas déçu. Pour toi, Philèbe, je t'en prie, diffère ton départ, assiste à notre fête. Peut-être y trouveras-tu l'occasion de rire. A bientôt, je vais m'apprêter.

Elle sort.

CLYTEMNESTRE, *à Oreste.* — Va-t'en. Je suis sûre que tu vas nous porter malheur. Tu ne peux pas nous en vouloir, nous ne t'avons rien fait. Va-t'en. Je t'en supplie par ta mère, va-t'en.

Elle sort.

ORESTE. — Par ma mère...

Entre Jupiter.

SCÈNE VI

ORESTE, JUPITER

JUPITER. — Votre valet m'apprend que vous allez partir. Il cherche en vain des chevaux par toute la ville. Mais je pourrai vous procurer deux juments harnachées dans les prix doux.

ORESTE. — Je ne pars plus.

JUPITER, *lentement.* — Vous ne partez plus?
(*Un temps. Vivement.*) Alors je ne vous quitte
pas, vous êtes mon hôte. Il y a, au bas de la ville,
une assez bonne auberge où nous logerons ensemble. Vous ne regretterez pas de m'avoir choisi
pour compagnon. D'abord — abraxas, galla,
galla, tsé, tsé — je vous débarrasse de vos
mouches. Et puis un homme de mon âge est
quelquefois de bon conseil : je pourrais être votre
père, vous me raconterez votre histoire. Venez,
jeune homme, laissez-vous faire : des rencontres
comme celle-ci sont quelquefois plus profitables
qu'on ne le croit d'abord. Voyez l'exemple de
Télémaque, vous savez, le fils du roi Ulysse. Un
beau jour il a rencontré un vieux monsieur du
nom de Mentor, qui s'est attaché à ses destinées
et qui l'a suivi partout. Eh bien, savez-vous qui
était ce Mentor ?

> *Il l'entraîne en parlant et le rideau
> tombe.*

Rideau.

ACTE II

PREMIER TABLEAU

Une plate-forme dans la montagne. A droite, la caverne. L'entrée est fermée par une grande pierre noire. A gauche, des marches conduisent à un temple.

SCÈNE PREMIÈRE

LA FOULE, puis JUPITER, ORESTE et le PÉDAGOGUE

UNE FEMME *s'agenouille devant son petit garçon.* — Ta cravate. Voilà trois fois que je te fais le nœud. *(Elle brosse avec la main.)* Là. Tu es propre. Sois bien sage et pleure avec les autres quand on te le dira.

L'ENFANT. — C'est par là qu'ils doivent venir ?

LA FEMME. — Oui.

L'ENFANT. — J'ai peur.

LA FEMME. — Il faut avoir peur, mon chéri. Grand'peur. C'est comme cela qu'on devient un honnête homme.

UN HOMME. — Ils auront beau temps aujourd'hui.

UN AUTRE. — Heureusement ! Il faut croire qu'ils sont encore sensibles à la chaleur du soleil. Il pleuvait l'an dernier, et ils ont été... terribles.

LE PREMIER. — Terribles.

LE SECOND. — Hélas !

LE TROISIÈME. — Quand ils seront rentrés dans leur trou et qu'ils nous auront laissés seuls, entre nous, je grimperai ici, je regarderai cette pierre, et je me dirai : « A présent en voilà pour un an. »

UN QUATRIÈME. — Oui ? Eh bien, ça ne me consolera pas, moi. A partir de demain je commencerai à me dire : « Comment seront-ils l'année prochaine ? » D'année en année ils se font plus méchants.

LE DEUXIÈME. — Tais-toi, malheureux. Si l'un d'entre eux s'était infiltré par quelque fente du roc et rôdait déjà parmi nous... Il y a des morts qui sont en avance au rendez-vous.

Ils se regardent avec inquiétude.

UNE JEUNE FEMME. — Si au moins ça pouvait commencer tout de suite. Qu'est-ce qu'ils font, ceux du palais ? Ils ne se pressent pas. Moi, je trouve que c'est le plus dur, cette attente : on est là, on piétine sous un ciel de feu, sans quitter des yeux cette pierre noire... Ha ! ils sont là-bas, derrière la pierre ; ils attendent comme nous, tout réjouis à la pensée du mal qu'ils vont nous faire.

UNE VIEILLE. — Ça va, mauvaise garce ! On sait ce qui lui fait peur, à celle-là. Son homme est mort, le printemps passé, et voilà dix ans qu'elle lui faisait porter des cornes.

LA JEUNE FEMME. — Eh bien oui, je l'avoue, je l'ai trompé tant que j'ai pu ; mais je l'aimais

bien et je lui rendais la vie agréable ; il ne s'est
jamais douté de rien, et il est mort en me jetant
un doux regard de chien reconnaissant. Il sait
tout à présent, on lui a gâché son plaisir, il me
hait, il souffre. Et tout à l'heure, il sera contre
moi, son corps de fumée épousera mon corps,
plus étroitement qu'aucun vivant ne l'a jamais
fait. Ah ! je l'emmènerai chez moi, roulé autour
de mon cou, comme une fourrure. Je lui ai pré-
paré de bons petits plats, des gâteaux de farine,
une collation comme il les aimait. Mais rien
n'adoucira sa rancœur ; et cette nuit... cette nuit,
il sera dans mon lit.

UN HOMME. — Elle a raison, parbleu. Que fait
Égisthe ? A quoi pense-t-il ? Je ne puis supporter
cette attente.

UN AUTRE. — Plains-toi donc ! Crois-tu qu'É-
gisthe a moins peur que nous ? Voudrais-tu être
à sa place, dis, et passer vingt-quatre heures en
tête à tête avec Agamemnon ?

LA JEUNE FEMME. — Horrible, horrible attente.
Il me semble, vous tous, que vous vous éloignez
lentement de moi. La pierre n'est pas encore
ôtée, et déjà chacun est en proie à ses morts, seul
comme une goutte de pluie.

Entrent Jupiter, Oreste, le Pédagogue.

JUPITER. — Viens par ici, nous serons mieux.

ORESTE. — Les voilà donc, les citoyens d'Argos, les très fidèles sujets du roi Agamemnon ?

LE PÉDAGOGUE. — Qu'ils sont laids ! Voyez,
mon maître, leur teint de cire, leurs yeux caves.
Ces gens-là sont en train de mourir de peur. Voilà
pourtant l'effet de la superstition. Regardez-les,
regardez-les. Et s'il vous faut encore une preuve

de l'excellence de ma philosophie, considérez ensuite mon teint fleuri.

JUPITER. — La belle affaire qu'un teint fleuri. Quelques coquelicots sur tes joues, mon bonhomme, ça ne t'empêchera pas d'être du fumier, comme tous ceux-ci, aux yeux de Jupiter. Va, tu empestes, et tu ne le sais pas. Eux, cependant, ont les narines remplies de leurs propres odeurs, ils se connaissent mieux que toi.

La foule gronde.

UN HOMME, *montant sur les marches du temple, s'adresse à la foule.* — Veut-on nous rendre fous ? Unissons nos voix, camarades, et appelons Égisthe : nous ne pouvons pas tolérer qu'il diffère plus longtemps la cérémonie.

LA FOULE. — Égisthe ! Égisthe ! Pitié !

UNE FEMME. — Ah oui ! Pitié ! Pitié ! Personne n'aura donc pitié de moi ! Il va venir avec sa gorge ouverte, l'homme que j'ai tant haï, il m'enfermera dans ses bras invisibles et gluants, il sera mon amant toute la nuit, toute la nuit. Ha !

Elle s'évanouit.

ORESTE. — Quelles folies ! Il faut dire à ces gens...

JUPITER. — Hé quoi, jeune homme, tant de bruit pour une femme qui tourne de l'œil ? Vous en verrez d'autres.

UN HOMME, *se jetant à genoux.* — Je pue ! Je pue ! Je suis une charogne immonde. Voyez, les mouches sont sur moi comme des corbeaux ! Piquez, creusez, forez, mouches vengeresses, fouillez ma chair jusqu'à mon cœur ordurier. J'ai péché, j'ai cent mille fois péché, je suis un égout, une fosse d'aisance...

JUPITER. — Le brave homme !

DES HOMMES, *le relevant.* — Ça va, ça va. Tu raconteras ça plus tard, quand ils seront là.

L'homme reste hébété ; il souffle en roulant des yeux.

LA FOULE. — Égisthe ! Égisthe. Par pitié, ordonne que l'on commence. Nous n'y tenons plus.

Égisthe paraît sur les marches du temple. Derrière lui Clytemnestre et le Grand Prêtre. Des gardes.

SCÈNE II

LES MÊMES, ÉGISTHE, CLYTEMNESTRE, LE GRAND PRÊTRE, LES GARDES

ÉGISTHE. — Chiens ! Osez-vous bien vous plaindre ? Avez-vous perdu la mémoire de votre abjection ? Par Jupiter, je rafraîchirai vos souvenirs. (*Il se tourne vers Clytemnestre.*) Il faut bien nous résoudre à commencer sans elle. Mais qu'elle prenne garde. Ma punition sera exemplaire.

CLYTEMNESTRE. — Elle m'avait promis d'obéir. Elle s'apprête ; j'en suis sûre ; elle doit s'être attardée devant son miroir.

ÉGISTHE, *aux gardes.* — Qu'on aille quérir Électre au palais et qu'on l'amène ici, de gré ou de force. (*Les gardes sortent. A la foule.*) A vos

places. Les hommes à ma droite. A ma gauche
les femmes et les enfants. C'est bien.

> *Un silence. Égisthe attend.*

LE GRAND PRÊTRE. — Ces gens-là n'en peuvent
plus.

ÉGISTHE. — Je sais. Si mes gardes...

> *Les gardes rentrent.*

UN GARDE. — Seigneur, nous avons cherché
partout la princesse. Mais le palais est désert.

ÉGISTHE. — C'est bien. Nous réglerons demain
ce compte-là. (*Au Grand Prêtre.*) Commence.

LE GRAND PRÊTRE. — Otez la pierre.

LA FOULE. — Ha !

> *Les gardes ôtent la pierre. Le Grand
> Prêtre s'avance jusqu'à l'entrée de la
> caverne.*

LE GRAND PRÊTRE. — Vous, les oubliés, les
abandonnés, les désenchantés, vous qui traînez au
ras de terre, dans le noir, comme des fumerolles,
et qui n'avez plus rien à vous que votre grand
dépit, vous les morts, debout, c'est votre fête !
Venez, montez du sol comme une énorme vapeur
de soufre chassée par le vent ; montez des entrailles du monde, ô morts cent fois morts, vous
que chaque battement de nos cœurs fait mourir
à neuf, c'est par la colère et l'amertume et l'esprit de vengeance que je vous invoque, venez
assouvir votre haine sur les vivants ! Venez, ré-
pandez-vous en brume épaisse à travers nos rues,
glissez vos cohortes serrées entre la mère et l'enfant, entre l'amant et son amante, faites-nous
regretter de n'être pas morts. Debout, vampires,
larves, spectres, harpies, terreur de nos nuits.
Debout, les soldats qui moururent en blasphé-

mant, debout les malchanceux, les humiliés, debout les morts de faim dont le cri d'agonie fut une malédiction. Voyez, les vivants sont là, les grasses proies vivantes ! Debout, fondez sur eux en tourbillon et rongez-les jusqu'aux os ! Debout ! Debout ! Debout !...

> *Tam-tam. Il danse devant l'entrée de la caverne, d'abord lentement, puis de plus en plus vite, et tombe exténué.*

ÉGISTHE. — Ils sont là !

LA FOULE. — Horreur !

ORESTE. — C'en est trop et je vais...

JUPITER. — Regarde-moi, jeune homme, regarde-moi en face, là ! là ! Tu as compris. Silence à présent.

ORESTE. — Qui êtes-vous ?

JUPITER. — Tu le sauras plus tard.

> *Égisthe descend lentement les marches du palais.*

ÉGISTHE. — Ils sont là. (*Un silence.*) Il est là, Aricie, l'époux que tu as bafoué. Il est là, contre toi, il t'embrasse. Comme il te serre, comme il t'aime, comme il te hait ! Elle est là, Nicias, elle est là, ta mère, morte faute de soins. Et toi, Segeste, usurier infâme, ils sont là, tous tes débiteurs infortunés, ceux qui sont morts dans la misère et ceux qui se sont pendus parce que tu les ruinais. Ils sont là et ce sont eux, aujourd'hui, qui sont tes créanciers. Et vous, les parents, les tendres parents, baissez un peu les yeux, regardez plus bas, vers le sol : ils sont là, les enfants morts, ils tendent leurs petites mains ; et toutes les joies que vous leur avez refusées, tous les tourments que vous leur avez infligés pèsent comme du plomb sur leurs petites âmes rancuneuses et désolées.

La Foule. — Pitié !

Égisthe. — Ah, oui ! pitié ! Ne savez-vous pas que les morts n'ont jamais de pitié ? Leurs griefs sont ineffaçables, parce que leur compte s'est arrêté pour toujours. Est-ce par des bienfaits, Nicias, que tu comptes effacer le mal que tu fis à ta mère ? Mais quel bienfait pourra jamais l'atteindre ? Son âme est un midi torride, sans un souffle de vent, rien n'y bouge, rien n'y change, rien n'y vit, un grand soleil décharné, un soleil immobile la consume éternellement. Les morts ne sont plus — comprenez-vous ce mot implacable — ils ne sont plus, et c'est pour cela qu'ils se sont faits les gardiens incorruptibles de vos crimes.

La Foule. — Pitié !

Égisthe. — Pitié ? Ah ! piètres comédiens, vous avez du public aujourd'hui. Sentez-vous peser sur vos visages et sur vos mains les regards de ces millions d'yeux fixes et sans espoir ? Ils nous voient, ils nous voient, nous sommes nus devant l'assemblée des morts. Ha ! ha ! Vous voilà bien empruntés à présent ; il vous brûle, ce regard invisible et pur, plus inaltérable qu'un souvenir de regard.

La Foule. — Pitié !

Les Hommes. — Pardonnez-nous de vivre alors que vous êtes morts.

Les Femmes. — Pitié. Nous sommes entourées de vos visages et des objets qui vous ont appartenu, nous portons votre deuil éternellement et nous pleurons de l'aube à la nuit et de la nuit à

l'aube. Nous avons beau faire, votre souvenir s'ef-
filoche et glisse entre nos doigts ; chaque jour il
pâlit un peu plus et nous sommes un peu plus
coupables. Vous nous quittez, vous nous quittez,
vous vous écoulez de nous comme une hémorra-
gie. Pourtant, si cela pouvait apaiser vos âmes
irritées, sachez, ô nos chers disparus, que vous
nous avez gâché la vie.

Les Hommes. — Pardonnez-nous de vivre alors
que vous êtes morts.

Les Enfants. — Pitié ! Nous n'avons pas fait
exprès de naître, et nous sommes tous honteux
de grandir. Comment aurions-nous pu vous offenser ? Voyez, nous vivons à peine, nous sommes
maigres, pâles et tout petits ; nous ne faisons pas
de bruit, nous glissons sans même ébranler l'air
autour de nous. Et nous avons peur de vous, oh !
si grand'peur !

Les Hommes. — Pardonnez-nous de vivre alors
que vous êtes morts.

Égisthe. — Paix ! Paix ! Si vous vous lamentez
ainsi, que dirai-je moi, votre roi ? Car mon sup-
plice a commencé : le sol tremble et l'air s'est
obscurci ; le plus grand des morts va paraître,
celui que j'ai tué de mes mains, Agamemnon.

Oreste, *tirant son épée.* — Ruffian ! Je ne te
permettrai pas de mêler le nom de mon père à
tes singeries !

Jupiter, *le saisissant à bras-le-corps.* — Arrê-
tez, jeune homme, arrêtez-vous !

Égisthe, *se retournant.* — Qui ose ? (*Électre
est apparue en robe blanche sur les marches du
temple. Égisthe l'aperçoit.*) Électre !

La Foule. — Électre !

SCÈNE III

LES MÊMES, ÉLECTRE

ÉGISTHE. — Électre, réponds, que signifie ce costume ?

ÉLECTRE. — J'ai mis ma plus belle robe. N'est-ce pas un jour de fête ?

LE GRAND PRÊTRE. — Viens-tu narguer les morts ? C'est leur fête, tu le sais fort bien, et tu devais paraître en habits de deuil.

ÉLECTRE. — De deuil ? Pourquoi de deuil ? Je n'ai pas peur de mes morts, et je n'ai que faire des vôtres !

ÉGISTHE. — Tu as dit vrai ; tes morts ne sont pas nos morts. Regardez-la, sous sa robe de putain, la petite fille d'Atrée, d'Atrée qui égorgea lâchement ses neveux. Qu'es-tu donc, sinon le dernier rejeton d'une race maudite ! Je t'ai tolérée par pitié dans mon palais, mais je reconnais ma faute aujourd'hui, car c'est toujours le vieux sang pourri des Atrides qui coule dans tes veines, et tu nous infecterais tous si je n'y mettais bon ordre. Patiente un peu, chienne, et tu verras si je sais punir. Tu n'auras pas assez de tes yeux pour pleurer.

LA FOULE. — Sacrilège !

ÉGISTHE. — Entends-tu, malheureuse, les grondements de ce peuple que tu as offensé, entends-tu le nom qu'il te donne ? Si je n'étais pas là pour mettre un frein à sa colère, il te déchirerait sur place.

LA FOULE. — Sacrilège !

ÉLECTRE. — Est-ce un sacrilège que d'être gaie ? Pourquoi ne sont-ils pas gais, eux ? Qui les en empêche ?

ÉGISTHE. — Elle rit et son père mort est là, avec du sang caillé sur la face...

ÉLECTRE. — Comment osez-vous parler d'Agamemnon ? Savez-vous s'il ne vient pas la nuit me parler à l'oreille ? Savez-vous quels mots d'amour et de regret sa voix rauque et brisée me chuchote ? Je ris, c'est vrai, pour la première fois de ma vie, je ris, je suis heureuse. Prétendez-vous que mon bonheur ne réjouit pas le cœur de mon père ? Ah ! s'il est là, s'il voit sa fille en robe blanche, sa fille que vous avez réduite au rang abject d'esclave, s'il voit qu'elle porte le front haut et que le malheur n'a pas abattu sa fierté, il ne songe pas, j'en suis sûre, à me maudire ; ses yeux brillent dans son visage supplicié et ses lèvres sanglantes essaient de sourire.

LA JEUNE FEMME. — Et si elle disait vrai ?

DES VOIX. — Mais non, elle ment, elle est folle. Électre, va-t'en de grâce, sinon ton impiété retombera sur nous.

ÉLECTRE. — De quoi donc avez-vous peur ? Je regarde autour de vous et je ne vois que vos ombres. Mais écoutez ceci que je viens d'apprendre et que vous ne savez peut-être pas : il y a en Grèce des villes heureuses. Des villes blanches et calmes qui se chauffent au soleil comme des lézards. A cette heure même, sous ce même ciel, il y a des enfants qui jouent sur les places de Corinthe. Et leurs mères ne demandent point pardon de les avoir mis au monde. Elles les regardent en souriant, elles sont fières d'eux. O mères d'Argos, comprenez-vous ? Pouvez-vous encore comprendre l'orgueil d'une femme qui regarde son enfant et qui pense : « C'est moi qui l'ai porté dans mon sein ? »

ÉGISTHE. — Tu vas te taire, à la fin, ou je ferai rentrer les mots dans ta gorge.

DES VOIX *dans la foule.* — Oui, oui ! Qu'elle se taise. Assez, assez !

D'AUTRES VOIX. — Non, laissez-la parler ! Laissez-la parler. C'est Agamemnon qui l'inspire.

ÉLECTRE. — Il fait beau. Partout, dans la plaine, des hommes lèvent la tête et disent : « Il fait beau », et ils sont contents. O bourreaux de vous-mêmes, avez-vous oublié cet humble contentement du paysan qui marche sur sa terre et qui dit : « Il fait beau » ? Vous voilà les bras ballants, la tête basse, respirant à peine. Vos morts se collent contre vous, et vous demeurez immobiles dans la crainte de les bousculer au moindre geste. Ce serait affreux, n'est-ce pas ? si vos mains traversaient soudain une petite vapeur moite, l'âme de votre père ou de votre aïeul ? — Mais regardez-moi : j'étends les bras, je m'élargis, et je m'étire comme un homme qui s'éveille, j'occupe ma place au soleil, toute ma place. Est-ce que le ciel me tombe sur la tête ? Je danse, voyez, je danse, et je ne sens rien que le souffle du vent dans mes cheveux. Où sont les morts ? Croyez-vous qu'ils dansent avec moi, en mesure ?

LE GRAND PRÊTRE. — Habitants d'Argos, je

vous dis que cette femme est sacrilège. Malheur
à elle et à ceux d'entre vous qui l'écoutent.

ÉLECTRE. — O mes chers morts, Iphigénie, ma
sœur aînée, Agamemnon, mon père et mon seul
roi, écoutez ma prière. Si je suis sacrilège, si
j'offense vos mânes douloureux, faites un signe,
faites-moi vite un signe, afin que je le sache. Mais
si vous m'approuvez, mes chéris, alors taisez-
vous, je vous en prie, que pas une feuille ne
bouge, pas un brin d'herbe, que pas un bruit ne
vienne troubler ma danse sacrée : car je danse
pour la joie, je danse pour la paix des hommes,
je danse pour le bonheur et pour la vie. O mes
morts, je réclame votre silence, afin que les
hommes qui m'entourent sachent que votre cœur
est avec moi.

Elle danse.

Voix *dans la foule.* — Elle danse ! Voyez-la,
légère comme une flamme, elle danse au soleil,
comme l'étoffe claquante d'un drapeau — et les
morts se taisent !

LA JEUNE FEMME. — Voyez son air d'extase —
non, ce n'est pas le visage d'une impie. Eh bien,
Égisthe, Égisthe ! Tu ne dis rien — pourquoi ne
réponds-tu pas ?

ÉGISTHE. — Est-ce qu'on discute avec les bêtes
puantes ? On les détruit ! J'ai eu tort de l'épar-
gner autrefois ; mais c'est un tort réparable :
n'ayez crainte, je vais l'écraser contre terre, et sa
race s'anéantira avec elle.

LA FOULE. — Menacer n'est pas répondre,
Égisthe ! N'as-tu rien d'autre à nous dire ?

LA JEUNE FEMME. — Elle danse, elle sourit, elle
est heureuse, et les morts semblent la protéger.

Ah ! trop enviable Électre ! vois, moi aussi, j'écarte les bras et j'offre ma gorge au soleil !

Voix *dans la foule.* — Les morts se taisent : Égisthe, tu nous as menti !

ORESTE. — Chère Électre !

JUPITER. — Parbleu, je vais rabattre le caquet de cette gamine. (*Il étend le bras.*) Posidon caribou caribon lullaby.

> *La grosse pierre qui obstruait l'entrée de la caverne roule avec fracas contre les marches du temple. Électre cesse de danser.*

LA FOULE. — Horreur !

> *Un long silence.*

LE GRAND PRÊTRE. — O peuple lâche et trop léger : les morts se vengent ! Voyez les mouches fondre sur nous en épais tourbillons ! Vous avez écouté une voix sacrilège et nous sommes maudits !

LA FOULE. — Nous n'avons rien fait, ça n'est pas notre faute, elle est venue, elle nous a séduits par ses paroles empoisonnées ! A la rivière, la sorcière, à la rivière ! Au bûcher !

UNE VIEILLE FEMME, *désignant la jeune femme.* — Et celle-ci, là, qui buvait ses discours comme du miel, arrachez-lui ses vêtements, mettez-la toute nue et fouettez-la jusqu'au sang.

> *On s'empare de la jeune femme, des hommes gravissent les marches de l'escalier et se précipitent vers Électre.*

ÉGISTHE, *qui s'est redressé.* — Silence, chiens. Regagnez vos places en bon ordre et laissez-moi le soin du châtiment. (*Un silence.*) Eh bien ? Vous avez vu ce qu'il en coûte de ne pas m'obéir ?

Douterez-vous de votre chef, à présent ? Rentrez
chez vous, les morts vous accompagnent, ils seront
vos hôtes tout le jour et toute la nuit. Faites-leur
place à votre table, à votre foyer, dans votre
couche, et tâchez que votre conduite exemplaire
leur fasse oublier tout ceci. Quant à moi, bien
que vos soupçons m'aient blessé, je vous par-
donne. Mais toi, Électre...

ÉLECTRE. — Eh bien quoi ? J'ai raté mon coup.
La prochaine fois je ferai mieux.

ÉGISTHE. — Je ne t'en donnerai pas l'occasion.
Les lois de la cité m'interdisent de punir en ce
jour de fête. Tu le savais et tu en as abusé. Mais
tu ne fais plus partie de la cité, je te chasse. Tu
partiras pieds nus et sans bagage, avec cette robe
infâme sur le corps. Si tu es encore dans nos
murs demain à l'aube, je donne l'ordre à qui-
conque te rencontrera de t'abattre comme une
brebis galeuse.

   *Il sort, suivi des gardes. La foule défile
   devant Électre en lui montrant le poing.*

JUPITER, *à Oreste.* — Eh bien, mon maître ?
Êtes-vous édifié ? Voilà une histoire morale, ou
je me trompe fort : les méchants ont été punis
et les bons récompensés. (*Désignant Électre.*)
Cette femme...

ORESTE. — Cette femme est ma sœur, bonhomme ! Va-t'en, je veux lui parler.

JUPITER *le regarde un instant, puis hausse les
épaules.* — Comme tu voudras.

   Il sort, suivi du Pédagogue.

SCÈNE IV

ÉLECTRE sur les marches du temple, ORESTE

ORESTE. — Électre !

ÉLECTRE *lève la tête et le regarde.* — Ah ! te
voilà, Philèbe ?

ORESTE. — Tu ne peux plus demeurer en cette
ville, Électre. Tu es en danger.

ÉLECTRE. — En danger ? Ah ! c'est vrai ! Tu
as vu comme j'ai raté mon coup. C'est un peu
ta faute, tu sais, mais je ne t'en veux pas.

ORESTE. — Qu'ai-je donc fait ?

ÉLECTRE. — Tu m'as trompée. (*Elle descend
vers lui.*) Laisse-moi voir ton visage. Oui, je me
suis prise à tes yeux.

ORESTE. — Le temps presse, Électre. Écoute :
nous allons fuir ensemble. Quelqu'un doit me
procurer des chevaux, je te prendrai en croupe.

ÉLECTRE. — Non.

ORESTE. — Tu ne veux pas fuir avec moi ?

ÉLECTRE. — Je ne veux pas fuir.

ORESTE. — Je t'emmènerai à Corinthe.

ÉLECTRE, *riant.* — Ha ! Corinthe... Tu vois, tu
ne le fais pas exprès, mais tu me trompes encore.
Que ferais-je à Corinthe, moi ? Il faut que je sois
raisonnable. Hier encore j'avais des désirs si
modestes : quand je servais à table, les paupières
baissées, je regardais entre mes cils le couple
royal, la vieille belle au visage mort, et lui, gras

et pâle, avec sa bouche veule et cette barbe noire
qui lui court d'une oreille à l'autre comme un
régiment d'araignées, et je rêvais de voir un jour
une fumée, une petite fumée droite, pareille à
une haleine par un froid matin, monter de leurs
ventres ouverts. C'est tout ce que je demandais,
Philèbe, je te le jure. Je ne sais pas ce que tu
veux, toi, mais il ne faut pas que je te croie : tu
n'as pas des yeux modestes. Tu sais ce que je
pensais, avant de te connaître ? C'est que le sage
ne peut rien souhaiter sur terre, sinon de rendre
un jour le mal qu'on lui a fait.

ORESTE. — Électre, si tu me suis, tu verras
qu'on peut souhaiter encore beaucoup d'autres
choses sans cesser d'être sage.

ÉLECTRE. — Je ne veux plus t'écouter ; tu m'as
fait beaucoup de mal. Tu es venu avec tes yeux
affamés dans ton doux visage de fille, et tu m'as
fait oublier ma haine ; j'ai ouvert mes mains et
j'ai laissé glisser à mes pieds mon seul trésor.
J'ai voulu croire que je pourrais guérir les gens
d'ici par des paroles. Tu as vu ce qui est arrivé :
ils aiment leur mal, ils ont besoin d'une plaie
familière qu'ils entretiennent soigneusement en la
grattant de leurs ongles sales. C'est par la violence qu'il faut les guérir, car on ne peut vaincre
le mal que par un autre mal. Adieu, Philèbe,
va-t'en, laisse-moi à mes mauvais songes.

ORESTE. — Ils vont te tuer.

ÉLECTRE. — Il y a un sanctuaire ici, le temple
d'Apollon ; les criminels s'y réfugient parfois, et,
tant qu'ils y demeurent, personne ne peut toucher à un cheveu de leur tête. Je m'y cacherai.

ORESTE. — Pourquoi refuses-tu mon aide ?

ÉLECTRE. — Ce n'est pas à toi de m'aider.
Quelqu'un d'autre viendra pour me délivrer. (*Un
temps.*) Mon frère n'est pas mort, je le sais. Et
je l'attends.

ORESTE. — S'il ne venait pas ?

ÉLECTRE. — Il viendra, il ne peut pas ne pas
venir. Il est de notre race, comprends-tu ; il a le
crime et le malheur dans le sang, comme moi.
C'est quelque grand soldat, avec les gros yeux
rouges de notre père, toujours à cuver une colère,
il souffre, il s'est embrouillé dans sa destinée
comme les chevaux éventrés s'embrouillent les
pattes dans leurs intestins ; et maintenant,
quelque mouvement qu'il fasse, il faut qu'il s'arrache les entrailles. Il viendra, cette ville l'attire,
j'en suis sûre, parce que c'est ici qu'il peut faire
le plus grand mal, qu'il peut se faire le plus de
mal. Il viendra, le front bas, souffrant et piaffant.
Il me fait peur : toutes les nuits je le vois en
songe et je m'éveille en hurlant. Mais je l'attends
et je l'aime. Il faut que je demeure ici pour gui-
der son courroux — car j'ai de la tête, moi —
pour lui montrer du doigt les coupables et pour
lui dire : « Frappe, Oreste, frappe : les voilà ! »

ORESTE. — Et s'il n'était pas comme tu l'ima-
gines ?

ÉLECTRE. — Comment veux-tu qu'il soit, le fils
d'Agamemnon et de Clytemnestre ?

ORESTE. — S'il était las de tout ce sang, ayant
grandi dans une ville heureuse ?

ÉLECTRE. — Alors je lui cracherais au visage et
je lui dirais : « Va-t'en, chien, va chez les
femmes, car tu n'es rien d'autre qu'une femme.
Mais tu fais un mauvais calcul : tu es le petit-fils

d'Atrée, tu n'échapperas pas au destin des
Atrides. Tu as préféré la honte au crime, libre à
toi. Mais le destin viendra te chercher dans ton
lit : tu auras la honte d'abord, et puis tu com-
mettras le crime, en dépit de toi-même !

ORESTE. — Électre, je suis Oreste.

ÉLECTRE, *dans un cri.* — Tu mens !

ORESTE. — Par les mânes de mon père Agamemnon, je te le jure : je suis Oreste. (*Un
silence.*) Eh bien ? qu'attends-tu pour me cracher
au visage ?

ÉLECTRE. — Comment le pourrais-je ? (*Elle le
regarde.*) Ce beau front est le front de mon frère.
Ces yeux qui brillent sont les yeux de mon frère.
Oreste... Ah ! j'aurais préféré que tu restes Phi-
lèbe et que mon frère fût mort. (*Timidement.*)
C'est vrai que tu as vécu à Corinthe ?

ORESTE. — Non. Ce sont des bourgeois
d'Athènes qui m'ont élevé.

ÉLECTRE. — Que tu as l'air jeune. Est-ce que
tu t'es jamais battu ? Cette épée que tu portes
au côté, t'a-t-elle jamais servi ?

ORESTE. — Jamais.

ÉLECTRE. — Je me sentais moins seule quand
je ne te connaissais pas encore : j'attendais
l'autre. Je ne pensais qu'à sa force et jamais à
ma faiblesse. A présent te voilà ; Oreste, c'était
toi. Je te regarde et je vois que nous sommes
deux orphelins. (*Un temps.*) Mais je t'aime, tu
sais. Plus que je l'eusse aimé, lui.

ORESTE. — Viens, si tu m'aimes ; fuyons ensemble.

ÉLECTRE. — Fuir ? Avec toi ? Non. C'est ici

que se joue le sort des Atrides, et je suis une
Atride. Je ne te demande rien. Je ne veux plus
rien demander à Philèbe. Mais je reste ici.

> *Jupiter paraît au fond de la scène et*
> *se cache pour les écouter.*

ORESTE. — Électre, je suis Oreste..., ton frère.
Moi aussi je suis un Atride, et ta place est à mes
côtés.

ÉLECTRE. — Non. Tu n'es pas mon frère et je
ne te connais pas. Oreste est mort, c'est tant
mieux pour lui ; désormais j'honorerai ses mânes
avec ceux de mon père et de ma sœur. Mais toi,
toi qui viens réclamer le nom d'Atride, qui es-tu
pour te dire des nôtres ? As-tu passé ta vie à
l'ombre d'un meurtre ? Tu devais être un enfant
tranquille avec un doux air réfléchi, l'orgueil de
ton père adoptif, un enfant bien lavé, aux yeux
brillants de confiance. Tu avais confiance dans
les gens, parce qu'ils te faisaient de grands sourires, dans les tables, dans les lits, dans les
marches d'escalier, parce que ce sont de fidèles
serviteurs de l'homme : dans la vie, parce que tu
étais riche et que tu avais beaucoup de jouets ;
tu devais penser quelquefois que le monde n'était
pas si mal fait et que c'était un plaisir de s'y
laisser aller comme dans un bon bain tiède, en
soupirant d'aise. Moi, à six ans, j'étais servante
et je me méfiais de tout. (*Un temps.*) Va-t'en,
belle âme. Je n'ai que faire des belles âmes :
c'est un complice que je voulais.

ORESTE. — Penses-tu que je te laisserai seule ?
Que ferais-tu ici, ayant perdu jusqu'à ton dernier
espoir ?

ÉLECTRE. — C'est mon affaire. Adieu, Philèbe.

ORESTE. — Tu me chasses ? (*Il fait quelques pas et s'arrête.*) Ce reître irrité que tu attendais, est-ce ma faute si je ne lui ressemble pas ? Tu l'aurais pris par la main et tu lui aurais dit : « Frappe ! » A moi tu n'as rien demandé. Qui suis-je donc, bon Dieu, pour que ma propre sœur me repousse, sans même m'avoir éprouvé ?

ÉLECTRE. — Ah ! Philèbe, je ne pourrai jamais charger d'un tel poids ton cœur sans haine.

ORESTE, *accablé*. — Tu dis bien : sans haine. Sans amour non plus. Toi, j'aurais pu t'aimer. *J'aurais pu*... Mais quoi ? Pour aimer, pour haïr, il faut se donner. Il est beau, l'homme au sang riche, solidement planté au milieu de ses biens, qui se donne un beau jour à l'amour, à la haine, et qui donne avec lui sa terre, sa maison et ses souvenirs. Qui suis-je et qu'ai-je à donner, moi ? J'existe à peine : de tous les fantômes qui rôdent aujourd'hui par la ville, aucun n'est plus fantôme que moi. J'ai connu des amours de fantôme, hésitants et clairsemés comme des vapeurs ; mais j'ignore les denses passions des vivants. (*Un temps.*) Honte ! Je suis revenu dans ma ville natale, et ma sœur a refusé de me reconnaître. Où vais-je aller, à présent ? Quelle cité faut-il que je hante ?

ÉLECTRE. — N'en est-il pas une où t'attend quelque fille au beau visage ?

ORESTE. — Personne ne m'attend. Je vais de ville en ville, étranger aux autres et à moi-même, et les villes se referment derrière moi comme une eau tranquille. Si je quitte Argos, que restera-t-il de mon passage, sinon l'amer désenchantement de ton cœur ?

ÉLECTRE. — Tu m'as parlé de villes heureuses...

ORESTE. — Je me soucie bien du bonheur. Je
veux mes souvenirs, mon sol, ma place au milieu
des hommes d'Argos. (*Un silence.*) Électre, je ne
m'en irai pas d'ici.

ÉLECTRE. — Philèbe, va-t'en, je t'en supplie :
j'ai pitié de toi, va-t'en si je te suis chère ; rien
ne peut t'arriver que du mal, et ton innocence
ferait échouer mes entreprises.

ORESTE. — Je ne m'en irai pas.

ÉLECTRE. — Et tu crois que je vais te laisser
là, dans ta pureté importune, juge intimidant et
muet de mes actes ? Pourquoi t'entêtes-tu ? Personne ici ne veut de toi.

ORESTE. — C'est ma seule chance. Électre, tu
ne peux pas me la refuser. Comprends-moi : je
veux être un homme de quelque part, un homme
parmi les hommes. Tiens, un esclave, lorsqu'il
passe, las et rechigné, portant un lourd fardeau,
traînant la jambe et regardant à ses pieds, tout
juste à ses pieds, pour éviter de choir, il est *dans*
sa ville, comme une feuille dans un feuillage,
comme l'arbre dans la forêt, Argos est autour de
lui, toute pesante et toute chaude, toute pleine
d'elle-même ; je veux être cet esclave, Électre, je
veux tirer la ville autour de moi et m'y enrouler
comme dans une couverture. Je ne m'en irai pas.

ÉLECTRE. — Demeurerais-tu cent ans parmi
nous, tu ne seras jamais qu'un étranger, plus
seul que sur une grande route. Les gens te regar-
deront de coin, entre leurs paupières mi-closes,
et ils baisseront la voix quand tu passeras près
d'eux.

ORESTE. — Est-ce donc si difficile de vous ser-

vir ? Mon bras peut défendre la ville, et j'ai de
l'or pour soulager vos miséreux.

ÉLECTRE. — Nous ne manquons ni de capi-
taines, ni d'âmes pieuses pour faire le bien.

ORESTE. — Alors...

> *Il fait quelques pas, la tête basse. Jupi-*
> *ter paraît et le regarde en se frottant les*
> *mains.*

ORESTE, *relevant la tête.* — Si du moins j'y
voyais clair ! Ah ! Zeus, Zeus, roi du ciel, je me
suis rarement tourné vers toi, et tu ne m'as guère
été favorable, mais tu m'es témoin que je n'ai
jamais voulu que le Bien. A présent je suis las,
je ne distingue plus le Bien du Mal et j'ai besoin
qu'on me trace ma route. Zeus, faut-il vraiment
qu'un fils de roi, chassé de sa ville natale, se
résigne saintement à l'exil et vide les lieux la tête
basse, comme un chien couchant ? Est-ce là ta
volonté ? Je ne puis le croire. Et cependant...
cependant tu as défendu de verser le sang... Ah !
qui parle de verser le sang, je ne sais plus ce que
je dis... Zeus, je t'implore : si la résignation et
l'abjecte humilité sont les lois que tu m'imposes,
manifeste-moi ta volonté par quelque signe, car
je ne vois plus clair du tout.

JUPITER, *pour lui-même.* — Mais comment
donc : à ton service ! Abraxas, abraxas, tsé-tsé !

> *La lumière fuse autour de la pierre.*

ÉLECTRE *se met à rire.* — Ha ! ha ! Il pleut des
miracles aujourd'hui ! Vois, pieux Philèbe, vois
ce qu'on gagne à consulter les Dieux ! (*Elle est
prise d'un fou rire.*) Le bon jeune homme... le
pieux Philèbe : « Fais-moi signe, Zeus, fais-moi
signe ! » Et voilà la lumière qui fuse autour de

la pierre sacrée. Va-t'en ! A Corinthe ! A Corinthe ! Va-t'en !

ORESTE, *regardant la pierre.* — Alors... c'est ça
le Bien ? (*Un temps, il regarde toujours la
pierre.*) Filer doux. Tout doux. Dire toujours
« Pardon » et « Merci »... c'est ça ?

(*Un temps, il regarde toujours la pierre.*) Le
Bien. *Leur* Bien...

(*Un temps.*) Électre !

ÉLECTRE. — Va vite, va vite. Ne déçois pas
cette sage nourrice qui se penche sur toi du haut
de l'Olympe. (*Elle s'arrête, interdite.*) Qu'as-tu ?

ORESTE, *d'une voix changée.* — Il y a un autre
chemin.

ÉLECTRE, *effrayée.* — Ne fais pas le méchant,
Philèbe. Tu as demandé les ordres des Dieux :
eh bien ! tu les connais.

ORESTE. — Des ordres ?... Ah oui... Tu veux
dire : la lumière là, autour de ce gros caillou ?
Elle n'est pas pour moi, cette lumière ; et personne ne peut plus me donner d'ordre à présent.

ÉLECTRE. — Tu parles par énigmes.

ORESTE. — Comme tu es loin de moi, tout à
coup..., comme tout est changé ! Il y avait autour
de moi quelque chose de vivant et de chaud.
Quelque chose qui vient de mourir. Comme tout
est vide... Ah ! quel vide immense, à perte de
vue... (*Il fait quelques pas.*) La nuit tombe... Tu
ne trouves pas qu'il fait froid ?... Mais qu'est-ce
donc..., qu'est-ce donc qui vient de mourir ?

ÉLECTRE. — Philèbe...

ORESTE. — Je te dis qu'il y a un autre chemin..., mon chemin. Tu ne le vois pas ? Il part
d'ici et il descend vers la ville. Il faut descendre,

comprends-tu, descendre jusqu'à vous, vous êtes
au fond d'un trou, tout au fond... (*Il s'avance
vers Électre.*) Tu es *ma* sœur, Électre, et cette
ville est *ma* ville. *Ma* sœur !

> *Il lui prend le bras.*

ÉLECTRE. — Laisse-moi ! Tu me fais mal, tu
me fais peur — et je ne t'appartiens pas.

ORESTE. — Je sais. Pas encore : je suis trop
léger. Il faut que je me leste d'un forfait bien
lourd qui me fasse couler à pic, jusqu'au fond
d'Argos.

ÉLECTRE. — Que vas-tu entreprendre ?

ORESTE. — Attends. Laisse-moi dire adieu à
cette légèreté sans tache qui fut la mienne. Laisse-
moi dire adieu à ma jeunesse. Il y a des soirs,
des soirs de Corinthe ou d'Athènes, pleins de
chants et d'odeurs, qui ne m'appartiendront plus
jamais. Des matins, pleins d'espoir aussi... Allons,
adieu ! adieu ! (*Il vient vers Électre.*) Viens,
Électre, regarde notre ville. Elle est là, rouge
sous le soleil, bourdonnante d'hommes et de
mouches, dans l'engourdissement têtu d'un après-
midi d'été ; elle me repousse de tous ses murs,
de tous ses toits, de toutes ses portes closes. Et
pourtant elle est à prendre, je le sens depuis ce
matin. Et toi aussi, Électre, tu es à prendre. Je
vous prendrai. Je deviendrai hache et je fendrai
en deux ces murailles obstinées, j'ouvrirai le
ventre de ces maisons bigotes, elles exhaleront
par leurs plaies béantes une odeur de mangeaille
et d'encens ; je deviendrai cognée et je m'enfon-
cerai dans le cœur de cette ville comme la cognée
dans le cœur d'un chêne.

ÉLECTRE. — Comme tu as changé : tes yeux

ne brillent plus, ils sont ternes et sombres. Hélas!
Tu étais si doux, Philèbe. Et voilà que tu me
parles comme l'autre me parlait en songe.

ORESTE. — Écoute : tous ces gens qui tremblent
dans des chambres sombres, entourés de leurs
chers défunts, suppose que j'assume tous leurs
crimes. Suppose que je veuille mériter le nom
de « voleur de remords » et que j'installe en
moi tous leurs repentirs : ceux de la femme qui
trompa son mari, ceux du marchand qui laissa
mourir sa mère, ceux de l'usurier qui tondit jusqu'à la mort ses débiteurs ?

Dis, ce jour-là, quand je serai hanté par des
remords plus nombreux que les mouches d'Argos,
par tous les remords de la ville, est-ce que je
n'aurai pas acquis droit de cité parmi vous ?
Est-ce que je ne serai pas chez moi, entre vos
murailles sanglantes, comme le boucher en tablier
rouge est chez lui dans sa boutique, entre les
bœufs saignants qu'il vient d'écorcher ?

ÉLECTRE. — Tu veux expier pour nous ?

ORESTE. — Expier ? J'ai dit que j'installerai en
moi vos repentirs, mais je n'ai pas dit ce que je
ferai de ces volailles criardes : peut-être leur tor-
drai-je le cou.

ÉLECTRE. — Et comment pourrais-tu te charger
de nos maux ?

ORESTE. — Vous ne demandez qu'à vous en
défaire. Le roi et la reine seuls les maintiennent
de force en vos cœurs.

ÉLECTRE. — Le roi et la reine... Philèbe !

ORESTE. — Les Dieux me sont témoins que je
ne voulais pas verser leur sang.

Un long silence.

ÉLECTRE. — Tu es trop jeune, trop faible...

ORESTE. — Vas-tu reculer, à présent ? Cache-moi dans le palais, conduis-moi ce soir jusqu'à la couche royale, et tu verras si je suis trop faible.

ÉLECTRE. — Oreste !

ORESTE. — Électre ! Tu m'as appelé Oreste pour la première fois.

ÉLECTRE. — Oui. C'est bien toi. Tu es Oreste. Je ne te reconnais pas, car ce n'est pas ainsi que je t'attendais. Mais ce goût amer dans ma bouche, ce goût de fièvre, mille fois je l'ai senti dans mes songes et je le reconnais. Tu es donc venu, Oreste, et ta décision est prise, et me voilà, comme dans mes songes, au seuil d'un acte irréparable, et j'ai peur — comme en songe. O moment tant attendu et tant redouté ! A présent, les instants vont s'enchaîner comme les rouages d'une mécanique, et nous n'aurons plus de répit jusqu'à ce qu'ils soient couchés tous les deux sur le dos, avec des visages pareils aux mûres écrasées. Tout ce sang ! Et c'est toi qui vas le verser, toi qui avais des yeux si doux. Hélas, jamais je ne reverrai cette douceur, jamais plus je ne reverrai Philèbe. Oreste, tu es mon frère aîné et le chef de notre famille, prends-moi dans tes bras, protège-moi, car nous allons au-devant de très grandes souffrances.

> *Oreste la prend dans ses bras. Jupiter sort de sa cachette et s'en va à pas de loup.*

Rideau.

DEUXIÈME TABLEAU

Dans le palais ; la salle du trône. Une statue de Jupiter, terrible et sanglante. Le jour tombe.

SCÈNE PREMIÈRE

Électre entre la première et fait signe à Oreste d'entrer.

ORESTE. — On vient !
Il met l'épée à la main.
ÉLECTRE. — Ce sont des soldats qui font leur ronde. Suis-moi : nous allons nous cacher par ici.
Ils se cachent derrière le trône.

SCÈNE II

LES MÊMES (cachés), DEUX SOLDATS

PREMIER SOLDAT. — Je ne sais pas ce qu'ont les mouches aujourd'hui : elles sont folles.
DEUXIÈME SOLDAT. — Elles sentent les morts et ça les met en joie. Je n'ose plus bâiller de peur

qu'elles ne s'enfoncent dans ma gueule ouverte
et n'aillent faire le carrousel au fond de mon
gosier. (*Électre se montre un instant et se cache.*)
Tiens, il y a quelque chose qui a craqué.

PREMIER SOLDAT. — C'est Agamemnon qui s'as-
sied sur son trône.

DEUXIÈME SOLDAT. — Et dont les larges fesses
font craquer les planches du siège ? Impossible,
collègue, les morts ne pèsent pas.

PREMIER SOLDAT. — Ce sont les roturiers qui ne
pèsent pas. Mais lui, avant que d'être un mort
royal, c'était un royal bon vivant, qui faisait, bon
an mal an, ses cent vingt-cinq kilos. C'est bien
rare s'il ne lui en reste pas quelques livres.

DEUXIÈME SOLDAT. — Alors... tu crois qu'il est
là ?

PREMIER SOLDAT. — Où veux-tu qu'il soit ? Si
j'étais un roi mort, moi, et que j'eusse tous les
ans une permission de vingt-quatre heures, sûr
que je reviendrais m'asseoir sur mon trône et que
j'y passerais la journée, à me rappeler les bons
souvenirs d'autrefois, sans faire de mal à personne.

DEUXIÈME SOLDAT. — Tu dis ça parce que tu
es vivant. Mais si tu ne l'étais plus, tu aurais
bien autant de vice que les autres. (*Le premier
soldat lui donne une gifle.*) Holà ! Holà !

PREMIER SOLDAT. — C'est pour ton bien ; regarde, j'en ai tué sept d'un coup, tout un essaim.

DEUXIÈME SOLDAT. — De morts ?

PREMIER SOLDAT. — Non. De mouches. J'ai du
sang plein les mains. (*Il s'essuie sur sa culotte.*)
Vaches de mouches.

DEUXIÈME SOLDAT. — Plût aux Dieux qu'elles

fussent mort-nées. Vois tous ces hommes morts qui sont ici : ils ne pipent mot, ils s'arrangent pour ne pas gêner. Les mouches crevées, ça serait pareil.

PREMIER SOLDAT. — Tais-toi, si je pensais qu'il y eût ici des mouches fantômes, par-dessus le marché...

DEUXIÈME SOLDAT. — Pourquoi pas ?

PREMIER SOLDAT. — Tu te rends compte ? Ça crève par millions chaque jour, ces bestioles. Si l'on avait lâché par la ville toutes celles qui sont mortes depuis l'été dernier, il y en aurait trois cent soixante-cinq mortes pour une vivante à tourniquer autour de nous. Pouah ! l'air serait sucré de mouches, on mangerait mouche, on respirerait mouche, elles descendraient par coulées visqueuses dans nos bronches et dans nos tripes... Dis donc, c'est peut-être pour cela qu'il flotte dans cette chambre des odeurs si singulières.

DEUXIÈME SOLDAT. — Bah ! Une salle de mille pieds carrés comme celle-ci, il suffit de quelques morts humains pour l'empester. On dit que nos morts ont mauvaise haleine.

PREMIER SOLDAT. — Écoute donc ! Ils se mangent les sangs, ces hommes-là...

DEUXIÈME SOLDAT. — Je te dis qu'il y a quelque chose : le plancher craque.

Ils vont voir derrière le trône par la droite ; Oreste et Électre sortent par la gauche, passent devant les marches du trône et regagnent leur cachette par la droite, au moment où les soldats sortent à gauche.

PREMIER SOLDAT. — Tu vois bien qu'il n'y a

personne. C'est Agamemnon, que je te dis, sacré
Agamemnon ! Il doit être assis sur ces coussins :
droit comme un I — et il nous regarde : il n'a
rien à faire de son temps qu'à nous regarder.

Deuxième Soldat. — Nous ferions mieux de
rectifier la position, tant pis si les mouches nous
chatouillent le nez.

Premier Soldat. — J'aimerais mieux être au
corps de garde, en train de faire une bonne partie. Là-bas, les morts qui reviennent sont des
copains, de simples grivetons, comme nous. Mais
quand je pense que le feu roi est là, et qu'il
compte les boutons qui manquent à ma veste, je
me sens drôle, comme lorsque le général nous
passe en revue.

*Entrent Égisthe, Clytemnestre, des ser-
viteurs portant des lampes.*

Égisthe. — Qu'on nous laisse seuls.

SCÈNE III

ÉGISTHE, CLYTEMNESTRE, ORESTE
et ÉLECTRE (cachés)

Clytemnestre. — Qu'avez-vous ?

Égisthe. — Vous avez vu ? Si je ne les avais
frappés de terreur, ils se débarrassaient en un
tournemain de leurs remords.

Clytemnestre. — N'est-ce que cela qui vous
inquiète ? Vous saurez toujours glacer leur courage en temps voulu.

ÉGISTHE. — Il se peut. Je ne suis que trop habile à ces comédies. (*Un temps.*) Je regrette d'avoir dû punir Électre.

CLYTEMNESTRE. — Est-ce parce qu'elle est née de moi ? Il vous a plu de le faire, et je trouve bon tout ce que vous faites.

ÉGISTHE. — Femme, ce n'est pas pour toi que je le regrette.

CLYTEMNESTRE. — Alors, pourquoi ? Vous n'aimiez pas Électre.

ÉGISTHE. — Je suis las. Voici quinze ans que je tiens en l'air, à bout de bras, le remords de tout un peuple. Voici quinze ans que je m'habille comme un épouvantail : tous ces vêtements noirs ont fini par déteindre sur mon âme.

CLYTEMNESTRE. — Mais, seigneur, moi-même...

ÉGISTHE. — Je sais, femme, je sais : tu vas me parler de tes remords. Eh bien, je te les envie, ils te meublent la vie. Moi, je n'en ai pas, mais personne d'Argos n'est aussi triste que moi.

CLYTEMNESTRE. — Mon cher seigneur...

Elle s'approche de lui.

ÉGISTHE. — Laisse-moi, catin ! N'as-tu pas honte, sous ses yeux ?

CLYTEMNESTRE. — Sous ses yeux ? Qui donc nous voit ?

ÉGISTHE. — Eh bien, le roi. On a lâché les morts, ce matin.

CLYTEMNESTRE. — Seigneur, je vous en supplie... Les morts sont sous terre et ne nous gêneront pas de sitôt. Est-ce que vous avez oublié que vous-même vous inventâtes ces fables pour le peuple ?

ÉGISTHE. — Tu as raison, femme. Eh bien, tu

vois comme je suis las ? Laisse-moi, je veux me
recueillir.

Clytemnestre sort.

SCÈNE IV

ÉGISTHE, ORESTE et ÉLECTRE (cachés)

ÉGISTHE. — Est-ce là, Jupiter, le roi dont tu
avais besoin pour Argos ? Je vais, je viens, je sais
crier d'une voix forte, je promène partout ma
grande apparence terrible, et ceux qui m'aper-
çoivent se sentent coupables jusqu'aux moelles.
Mais je suis une coque vide : une bête m'a mangé
le dedans sans que je m'en aperçoive. A présent
je regarde en moi-même, et je vois que je suis
plus mort qu'Agamemnon. Ai-je dit que j'étais
triste ? J'ai menti. Il n'est ni triste ni gai, le
désert, l'innombrable néant des sables sous le
néant lucide du ciel : il est sinistre. Ah ! je don-
nerais mon royaume pour verser une larme !

Entre Jupiter.

SCÈNE V

LES MÊMES, JUPITER

JUPITER. — Plains-toi : tu es un roi semblable
à tous les rois.

ÉGISTHE. — Qui es-tu ? Que viens-tu faire ici ?

JUPITER. — Tu ne me reconnais pas ?

ÉGISTHE. — Sors d'ici, ou je te fais rosser par mes gardes.

JUPITER. — Tu ne me reconnais pas ? Tu m'as vu pourtant. C'était en songe. Il est vrai que j'avais l'air plus terrible. (*Tonnerre, éclairs, Jupiter prend l'air terrible.*) Et comme ça ?

ÉGISTHE. — Jupiter !

JUPITER. — Nous y voilà. (*Il redevient souriant, s'approche de la statue.*) C'est moi, ça ? C'est ainsi qu'ils me voient quand ils prient, les habitants d'Argos ? Parbleu, il est rare qu'un Dieu puisse contempler son image face à face. (*Un temps.*) Que je suis laid ! Ils ne doivent pas m'aimer beaucoup.

ÉGISTHE. — Ils vous craignent.

JUPITER. — Parfait ! Je n'ai que faire d'être aimé. Tu m'aimes, toi ?

ÉGISTHE. — Que me voulez-vous ? N'ai-je pas assez payé ?

JUPITER. — Jamais assez !

ÉGISTHE. — Je crève à la tâche.

JUPITER. — N'exagère pas ! Tu te portes assez bien et tu es gras. Je ne te le reproche pas, d'ailleurs. C'est de la bonne graisse royale, jaune comme le suif d'une chandelle, il en faut. Tu es taillé pour vivre encore vingt ans.

ÉGISTHE. — Encore vingt ans !

JUPITER. — Souhaites-tu mourir ?

ÉGISTHE. — Oui.

JUPITER. — Si quelqu'un entrait ici avec une épée nue, tendrais-tu ta poitrine à cette épée ?

ÉGISTHE. — Je ne sais pas.

JUPITER. — Écoute-moi bien ; si tu te laisses égorger comme un veau, tu seras puni de façon exemplaire ; tu resteras roi dans le Tartare pour l'éternité. Voilà ce que je suis venu te dire.

ÉGISTHE. — Quelqu'un cherche à me tuer ?

JUPITER. — Il paraît.

ÉGISTHE. — Électre ?

JUPITER. — Un autre aussi.

ÉGISTHE. — Qui ?

JUPITER. — Oreste.

ÉGISTHE. — Ah ! (*Un temps.*) Eh bien, c'est dans l'ordre, qu'y puis-je ?

JUPITER. — « Qu'y puis-je ? ». (*Changeant de ton.*) Ordonne sur l'heure qu'on se saisisse d'un jeune étranger qui se fait appeler Philèbe. Qu'on le jette avec Électre dans quelque basse-fosse — et je te permets de les y oublier. Eh bien ! qu'attends-tu ? Appelle tes gardes.

ÉGISTHE. — Non.

JUPITER. — Me feras-tu la faveur de me dire les raisons de ton refus ?

ÉGISTHE. — Je suis las.

JUPITER. — Pourquoi regardes-tu tes pieds ? Tourne vers moi tes gros yeux striés de sang. Là, là ! Tu es noble et bête comme un cheval. Mais ta résistance n'est pas de celles qui m'irritent : c'est le piment qui rendra, tout à l'heure, plus délicieuse encore ta soumission. Car je sais que tu finiras par céder.

ÉGISTHE. — Je vous dis que je ne veux pas entrer dans vos desseins. J'en ai trop fait.

JUPITER. — Courage ! Résiste ! Résiste ! Ah !

que je suis friand d'âmes comme la tienne. Tes
yeux lancent des éclairs, tu serres les poings et
tu jettes ton refus à la face de Jupiter. Mais
cependant, petite tête, petit cheval, mauvais petit
cheval, il y a beau temps que ton cœur m'a dit
oui. Allons, tu obéiras. Crois-tu que je quitte
l'Olympe sans motif ? J'ai voulu t'avertir de ce
crime, parce qu'il me plaît de l'empêcher.

ÉGISTHE. — M'avertir !... C'est bien étrange.

JUPITER. — Quoi de plus naturel au contraire :
je veux détourner ce danger de ta tête.

ÉGISTHE. — Qui vous le demandait ? Et Agamemnon, l'avez-vous averti, lui ? Pourtant il vou-
lait vivre.

JUPITER. — O nature ingrate, ô malheureux
caractère : tu m'es plus cher qu'Agamemnon, je
te le prouve et tu te plains.

ÉGISTHE. — Plus cher qu'Agamemnon ? Moi ?
C'est Oreste qui vous est cher. Vous avez toléré
que je me perde, vous m'avez laissé courir tout
droit vers la baignoire du roi, la hache à la main
— et sans doute vous léchiez-vous les lèvres,
là-haut, en pensant que l'âme du pécheur est
délectable. Mais aujourd'hui vous protégez Oreste
contre lui-même — et moi, que vous avez poussé
à tuer le père, vous m'avez choisi pour retenir le
bras du fils. J'étais tout juste bon à faire un assassin. Mais lui, pardon, on a d'autres vues sur lui,
sans doute.

JUPITER. — Quelle étrange jalousie ! Rassure-
toi : je ne l'aime pas plus que toi. Je n'aime personne.

ÉGISTHE. — Alors, voyez ce que vous avez fait
de moi, Dieu injuste. Et répondez : si vous empê-

chez aujourd'hui le crime que médite Oreste,
pourquoi donc avoir permis le mien ?

JUPITER. — Tous les crimes ne me déplaisent
pas également. Égisthe, nous sommes entre rois,
et je te parlerai franchement : le premier crime,
c'est moi qui l'ai commis en créant les hommes
mortels. Après cela, que pouviez-vous faire, vous
autres, les assassins ? Donner la mort à vos victimes ? Allons donc ; elles la portaient déjà en
elles ; tout au plus hâtiez-vous un peu son épa-
nouissement. Sais-tu ce qui serait advenu d'Agamemnon, si tu ne l'avais pas occis ? Trois mois
plus tard il mourait d'apoplexie sur le sein d'une
belle esclave. Mais ton crime me servait.

ÉGISTHE. — Il vous servait ? Je l'expie depuis
quinze ans et il vous servait ? Malheur !

JUPITER. — Eh bien quoi ? C'est parce que tu
l'expies qu'il me sert ; j'aime les crimes qui
paient. J'ai aimé le tien parce que c'était un
meurtre aveugle et sourd, ignorant de lui-même,
antique, plus semblable à un cataclysme qu'à une
entreprise humaine. Pas un instant tu ne m'as
bravé : tu as frappé dans les transports de la
rage et de la peur ; et puis, la fièvre tombée, tu
as considéré ton acte avec horreur et tu n'as pas
voulu le reconnaître. Quel profit j'en ai tiré
cependant ! Pour un homme mort, vingt mille
autres plongés dans la repentance, voilà le bilan.
Je n'ai pas fait un mauvais marché.

ÉGISTHE. — Je vois ce que cachent tous ces discours : Oreste n'aura pas de remords.

JUPITER. — Pas l'ombre d'un. A cette heure il
tire ses plans avec méthode, la tête froide, modes-
tement. Qu'ai-je à faire d'un meurtre sans

remords, d'un meurtre insolent, d'un meurtre paisible, léger comme une vapeur dans l'âme du meurtrier. J'empêcherai cela ! Ah ! je hais les crimes de la génération nouvelle : ils sont ingrats et stériles comme l'ivraie. Il te tuera comme un poulet, le doux jeune homme, et s'en ira, les mains rouges et la conscience pure ; j'en serais humilié, à ta place. Allons ! appelle tes gardes,

ÉGISTHE. — Je vous ai dit que non. Le crime qui se prépare vous déplaît trop pour ne pas me plaire.

JUPITER, *changeant de ton.* — Égisthe, tu es roi, et c'est à ta conscience de roi que je m'adresse ; car tu aimes régner.

ÉGISTHE. — Eh bien ?

JUPITER. — Tu me hais, mais nous sommes parents ; je t'ai fait à mon image : un roi, c'est un Dieu sur la terre, noble et sinistre comme un Dieu.

ÉGISTHE. — Sinistre ? Vous ?

JUPITER. — Regarde-moi. (*Un long silence.*) Je t'ai dit que tu es fait à mon image. Nous faisons tous les deux régner l'ordre, toi dans Argos, moi dans le monde ; et le même secret pèse lourdement dans nos cœurs.

ÉGISTHE. — Je n'ai pas de secret.

JUPITER. — Si. Le même que moi. Le secret douloureux des Dieux et des rois : c'est que les hommes sont libres. Ils sont libres, Égisthe. Tu le sais, et ils ne le savent pas.

ÉGISTHE. — Parbleu, s'ils le savaient, ils mettraient le feu aux quatre coins de mon palais. Voilà quinze ans que je joue la comédie pour leur masquer leur pouvoir.

JUPITER. — Tu vois bien que nous sommes pareils.

ÉGISTHE. — Pareils ? Par quelle ironie un Dieu se dirait-il mon pareil ? Depuis que je règne, tous mes actes et toutes mes paroles visent à composer mon image ; je veux que chacun de mes sujets la porte en lui et qu'il sente, jusque dans la solitude, mon regard sévère peser sur ses pensées les plus secrètes. Mais c'est moi qui suis ma première victime : je ne me vois plus que comme ils me voient, je me penche sur le puits béant de leurs âmes, et mon image est là, tout au fond, elle me répugne et me fascine. Dieu tout-puissant, qui suis-je, sinon la peur que les autres ont de moi ?

JUPITER. — Qui donc crois-tu que je sois ? *(Désignant la statue.)* Moi aussi, j'ai mon image. Crois-tu qu'elle ne me donne pas le vertige ? Depuis cent mille ans je danse devant les hommes. Une lente et sombre danse. Il faut qu'ils me regardent : tant qu'ils ont les yeux fixés sur moi, ils oublient de regarder en eux-mêmes. Si je m'oubliais un seul instant, si je laissais leur regard se détourner...

ÉGISTHE. — Eh bien ?

JUPITER. — Laisse. Ceci ne concerne que moi. Tu es las, Égisthe, mais de quoi te plains-tu ? Tu mourras. Moi, non. Tant qu'il y aura des hommes sur cette terre, je serai condamné à danser devant eux.

ÉGISTHE. — Hélas ! Mais qui nous a condamnés ?

JUPITER. — Personne que nous-mêmes ; car nous avons la même passion. Tu aimes l'ordre, Égisthe.

Égisthe. — L'ordre. C'est vrai. C'est pour l'ordre que j'ai séduit Clytemnestre, pour l'ordre que j'ai tué mon roi ; je voulais que l'ordre règne et qu'il règne par moi. J'ai vécu sans désir, sans amour, sans espoir : j'ai fait de l'ordre. O terrible et divine passion !

Jupiter. — Nous ne pourrions en avoir d'autre : je suis Dieu, et tu es né pour être roi.

Égisthe. — Hélas !

Jupiter. — Égisthe, ma créature et mon frère mortel, au nom de cet ordre que nous servons tous deux, je te le commande : empare-toi d'Oreste et de sa sœur.

Égisthe. — Sont-ils si dangereux ?

Jupiter. — Oreste sait qu'il est libre.

Égisthe, *vivement.* — Il sait qu'il est libre. Alors ce n'est pas assez que de le jeter dans les fers. Un homme libre dans une ville, c'est comme une brebis galeuse dans un troupeau. Il va contaminer tout mon royaume et ruiner mon œuvre. Dieu tout-puissant, qu'attends-tu pour le foudroyer ?

Jupiter, *lentement.* — Pour le foudroyer ? (*Un temps. Las et voûté.*) Égisthe, les Dieux ont un autre secret...

Égisthe. — Que vas-tu me dire ?

Jupiter. — Quand une fois la liberté a explosé dans une âme d'homme, les Dieux ne peuvent plus rien contre cet homme-là. Car c'est une affaire d'hommes, et c'est aux autres hommes — à eux seuls — qu'il appartient de le laisser courir ou de l'étrangler.

Égisthe, *le regardant.* — De l'étrangler ?... C'est bien. Je t'obéirai sans doute. Mais n'ajoute

rien et ne demeure pas ici plus longtemps, car
je ne pourrai le supporter.

Jupiter sort.

SCÈNE VI

ÉGISTHE reste seul un moment, puis ÉLECTRE
et ORESTE

ÉLECTRE, *bondissant vers la porte.* — Frappe-
le ! Ne lui laisse pas le temps de crier ; je barri-
cade la porte.

ÉGISTHE. — C'est donc toi, Oreste ?

ORESTE. — Défends-toi !

ÉGISTHE. — Je ne me défendrai pas. Il est trop
tard pour que j'appelle et je suis heureux qu'il
soit trop tard. Mais je ne me défendrai pas : je
veux que tu m'assassines.

ORESTE. — C'est bon. Le moyen m'importe
peu. Je serai donc assassin.

Il le frappe de son épée.

ÉGISTHE, *chancelant.* — Tu n'as pas manqué
ton coup. (*Il se raccroche à Oreste.*) Laisse-moi
te regarder. Est-ce vrai que tu n'as pas de
remords ?

ORESTE. — Des remords ? Pourquoi ? Je fais ce
qui est juste.

ÉGISTHE. — Ce qui est juste, c'est ce que veut
Jupiter. Tu étais caché ici et tu l'as entendu.

ORESTE. — Que m'importe Jupiter ? La justice
est une affaire d'hommes, et je n'ai pas besoin

d'un Dieu pour me l'enseigner. Il est juste de t'écraser, immonde coquin, et de ruiner ton empire sur les gens d'Argos, il est juste de leur rendre le sentiment de leur dignité.

Il le repousse.

ÉGISTHE. — J'ai mal.

ÉLECTRE. — Il chancelle et son visage est blafard. Horreur ! comme c'est laid, un homme qui meurt.

ORESTE. — Tais-toi. Qu'il n'emporte pas d'autre souvenir dans la tombe que celui de notre joie.

ÉGISTHE. — Soyez maudits tous deux.

ORESTE. — Tu n'en finiras donc pas, de mourir ?

Il le frappe. Égisthe tombe.

ÉGISTHE. — Prends garde aux mouches, Oreste, prends garde aux mouches. Tout n'est pas fini.

Il meurt.

ORESTE, *le poussant du pied.* — Pour lui, tout est fini en tout cas. Guide-moi jusqu'à la chambre de la reine.

ÉLECTRE. — Oreste...

ORESTE. — Eh bien ?...

ÉLECTRE. — Elle ne peut plus nous nuire...

ORESTE. — Et alors ?... Je ne te reconnais pas. Tu ne parlais pas ainsi, tout à l'heure.

ÉLECTRE. — Oreste... je ne te reconnais pas non plus.

ORESTE. — C'est bon ; j'irai seul.

Il sort.

SCÈNE VII

ÉLECTRE seule

ÉLECTRE. — Est-ce qu'elle va crier ? (*Un temps.
Elle prête l'oreille.*) Il marche dans le couloir.
Quand il aura ouvert la quatrième porte... Ah !
je l'ai voulu ! Je le veux, il *faut* que je le veuille
encore. (*Elle regarde Égisthe.*) Celui-ci est mort.
C'est donc *ça* que je voulais. Je ne m'en rendais
pas compte. (*Elle s'approche de lui.*) Cent fois je
l'ai vu en songe, étendu à cette même place, une
épée dans le cœur. Ses yeux étaient clos, il avait
l'air de dormir. Comme je le haïssais, comme
j'étais joyeuse de le haïr. Il n'a pas l'air de dormir, et ses yeux sont ouverts, il me regarde. Il
est mort — et ma haine est morte avec lui. Et je
suis là ; et j'attends, et l'autre est vivante encore,
au fond de sa chambre, et tout à l'heure elle va
crier. Elle va crier comme une bête. Ah ! je ne
peux plus supporter ce regard. (*Elle s'agenouille
et jette un manteau sur le visage d'Égisthe.*)
Qu'est-ce que je voulais donc ? (*Silence. Puis cris
de Clytemnestre.*) Il l'a frappée. C'était notre
mère, et il l'a frappée. (*Elle se relève.*) Voici :
mes ennemis sont morts. Pendant des années, j'ai
joui de cette mort par avance, et, à présent, mon
cœur est serré dans un étau. Est-ce que je me
suis menti pendant quinze ans ? Ça n'est pas
vrai ! Ça n'est pas vrai ! Ça ne peut pas être

vrai : je ne suis pas lâche ! Cette minute-ci, je
l'ai voulue et je la veux encore. J'ai voulu voir
ce porc immonde couché à mes pieds. (*Elle
arrache le manteau.*) Que m'importe ton regard
de poisson mort. Je l'ai voulu, ce regard, et j'en
jouis. (*Cris plus faibles de Clytemnestre.*) Qu'elle
crie ! Qu'elle crie ! Je veux ses cris d'horreur et
je veux ses souffrances. (*Les cris cessent.*) Joie !
Joie ! Je pleure de joie : mes ennemis sont morts
et mon père est vengé.

> *Oreste rentre, une épée sanglante à la
> main. Elle court à lui.*

SCÈNE VIII

ÉLECTRE, ORESTE

ÉLECTRE. — Oreste !

> *Elle se jette dans ses bras.*

ORESTE. — De quoi as-tu peur ?

ÉLECTRE. — Je n'ai pas peur, je suis ivre. Ivre
de joie. Qu'a-t-elle dit ? A-t-elle longtemps im-
ploré sa grâce ?

ORESTE. — Électre, je ne me repentirai pas de
ce que j'ai fait, mais je ne juge pas bon d'en parler : il y a des souvenirs qu'on ne partage pas.
Sache seulement qu'elle est morte.

ÉLECTRE. — En nous maudissant ? Dis-moi seulement cela : en nous maudissant ?

ORESTE. — Oui. En nous maudissant.

ÉLECTRE. — Prends-moi dans tes bras, mon

bien-aimé, et serre-moi de toutes tes forces.
Comme la nuit est épaisse et comme les lumières
de ces flambeaux ont de la peine à la percer !
M'aimes-tu ?

ORESTE. — Il ne fait pas nuit : c'est le point
du jour. Nous sommes libres, Électre. Il me
semble que je t'ai fait naître et que je viens de
naître avec toi ; je t'aime et tu m'appartiens.
Hier encore j'étais seul et aujourd'hui tu m'appartiens. Le sang nous unit doublement, car nous
sommes de même sang et nous avons versé le
sang.

ÉLECTRE. — Jette ton épée. Donne-moi cette
main. (*Elle lui prend la main et l'embrasse.*) Tes
doigts sont courts et carrés. Ils sont faits pour
prendre et pour tenir. Chère main ! Elle est plus
blanche que la mienne. Comme elle s'est faite
lourde pour frapper les assassins de notre père !
Attends. (*Elle va chercher un flambeau et elle
l'approche d'Oreste.*) Il faut que j'éclaire ton
visage, car la nuit s'épaissit et je ne te vois plus
bien. J'ai besoin de te voir : quand je ne te vois
plus, j'ai peur de toi ; il ne faut pas que je te
quitte des yeux. Je t'aime. Il faut que je pense
que je t'aime. Comme tu as l'air étrange !

ORESTE. — Je suis libre, Électre ; la liberté a
fondu sur moi comme la foudre.

ÉLECTRE. — Libre ? Moi, je ne me sens pas
libre. Peux-tu faire que tout ceci n'ait pas été ?
Quelque chose est arrivé que nous ne sommes
plus libres de défaire. Peux-tu empêcher que nous
soyons pour toujours les assassins de notre mère ?

ORESTE. — Crois-tu que je voudrais l'empêcher ? J'ai fait *mon* acte, Électre, et cet acte était

bon. Je le porterai sur mes épaules comme un passeur d'eau porte les voyageurs, je le ferai passer sur l'autre rive et j'en rendrai compte. Et plus il sera lourd à porter, plus je me réjouirai, car ma liberté, c'est lui. Hier encore, je marchais au hasard sur la terre, et des milliers de chemins fuyaient sous mes pas, car ils appartenaient à d'autres. Je les ai tous empruntés, celui des haleurs, qui court au long de la rivière, et le sentier du muletier et la route pavée des conducteurs de chars ; mais aucun n'était à moi. Aujourd'hui, il n'y en a plus qu'un, et Dieu sait où il mène : mais c'est *mon* chemin. Qu'as-tu ?

ÉLECTRE. — Je ne peux plus te voir ! Ces lampes n'éclairent pas. J'entends ta voix, mais elle me fait mal, elle me coupe comme un couteau. Est-ce qu'il fera toujours aussi noir, désormais, même le jour ? Oreste ! Les voilà !

ORESTE. — Qui ?

ÉLECTRE. — Les voilà ! D'où viennent-elles ? Elles pendent du plafond comme des grappes de raisins noirs, et ce sont elles qui noircissent les murs ; elles se glissent entre les lumières et mes yeux, et ce sont leurs ombres qui me dérobent ton visage.

ORESTE. — Les mouches...

ÉLECTRE. — Écoute !... Écoute le bruit de leurs ailes, pareil au ronflement d'une forge. Elles nous entourent, Oreste. Elles nous guettent ; tout à l'heure elles s'abattront sur nous, et je sentirai mille pattes gluantes sur mon corps. Où fuir, Oreste ? Elles enflent, elles enflent, les voilà grosses comme des abeilles, elles nous suivront partout en épais tourbillons. Horreur ! Je vois leurs yeux, leurs millions d'yeux qui nous regardent.

ORESTE. — Que nous importent les mouches ?

ÉLECTRE. — Ce sont les Érinnyes, Oreste, les déesses du remords.

DES VOIX, *derrière la porte.* — Ouvrez ! Ouvrez ! S'ils n'ouvrent pas, il faut enfoncer la porte.

> *Coups sourds dans la porte.*

ORESTE. — Les cris de Clytemnestre ont attiré des gardes. Viens ! Conduis-moi au sanctuaire d'Apollon ; nous y passerons la nuit, à l'abri des hommes et des mouches. Demain je parlerai à mon peuple.

Rideau.

ACTE III

SCÈNE PREMIÈRE

Le temple d'Apollon. Pénombre. Une statue d'Apollon au milieu de la scène. Électre et Oreste dorment au pied de la statue, entourant ses jambes de leurs bras. Les Érinnyes, en cercle, les entourent ; elles dorment debout, comme des échassiers. Au fond, une lourde porte de bronze.

PREMIÈRE ÉRINNYE, *s'étirant.* — Haaah ! J'ai dormi debout, toute droite de colère, et j'ai fait d'énormes rêves irrités. O belle fleur de rage, belle fleur rouge en mon cœur. (*Elle tourne autour d'Oreste et d'Électre.*) Ils dorment. Comme ils sont blancs, comme ils sont doux ! Je leur roulerai sur le ventre et sur la poitrine comme un torrent sur des cailloux. Je polirai patiemment cette chair fine, je la frotterai, je la raclerai, je l'userai jusqu'à l'os. (*Elle fait quelques pas.*) O pur matin de haine ! Quel splendide réveil : ils dorment, ils sont moites, ils sentent la fièvre ; moi, je veille, fraîche et dure, mon âme est de cuivre — et je me sens sacrée.

ÉLECTRE, *endormie.* — Hélas !

PREMIÈRE ÉRINNYE. — Elle gémit. Patience, tu connaîtras bientôt nos morsures, nous te ferons hurler sous nos caresses. J'entrerai en toi comme le mâle en la femelle, car tu es mon épouse, et tu sentiras le poids de mon amour. Tu es belle, Électre, plus belle que moi ; mais, tu verras, mes baisers font vieillir ; avant six mois, je t'aurai cassée comme une vieillarde, et moi, je resterai jeune. (*Elle se penche sur eux.*) Ce sont de belles proies périssables et bonnes à manger ; je les regarde, je respire leur haleine et la colère m'étouffe. O délices de se sentir un petit matin de haine, délices de se sentir griffes et mâchoires, avec du feu dans les veines. La haine m'inonde et me suffoque, elle monte dans mes seins comme du lait. Réveillez-vous, mes sœurs, réveillez-vous : voici le matin.

DEUXIÈME ÉRINNYE. — Je rêvais que je mordais.

PREMIÈRE ÉRINNYE. — Prends patience : un Dieu les protège aujourd'hui, mais bientôt la soif et la faim les chasseront de cet asile. Alors, tu les mordras de toutes tes dents.

TROISIÈME ÉRINNYE. — Haaah ! Je veux griffer.

PREMIÈRE ÉRINNYE. — Attends un peu : bientôt tes ongles de fer traceront mille sentiers rouges dans la chair des coupables. Approchez, mes sœurs, venez les voir.

UNE ÉRINNYE. — Comme ils sont jeunes !

UNE AUTRE ÉRINNYE. — Comme ils sont beaux !

PREMIÈRE ÉRINNYE. — Réjouissez-vous : trop souvent les criminels sont vieux et laids ; elle n'est que trop rare, la joie exquise de détruire ce qui est beau.

LES ÉRINNYES. — Héiah ! Héiahah !

Troisième Érinnye. — Oreste est presque un enfant. Ma haine aura pour lui des douceurs maternelles. Je prendrai sur mes genoux sa tête pâle, je caresserai ses cheveux.

Première Érinnye. — Et puis ?

Troisième Érinnye. — Et puis je plongerai tout d'un coup les deux doigts que voilà dans ses yeux.

Elles se mettent toutes à rire.

Première Érinnye. — Ils soupirent, ils s'agitent ; leur réveil est proche. Allons, mes sœurs, mes sœurs les mouches, tirons les coupables du sommeil par notre chant.

Chœur des Érinnyes. — Bzz, bzz, bzz, bzz.

Nous nous poserons sur ton cœur pourri comme des mouches sur une tartine,

Cœur pourri, cœur saigneux, cœur délectable.

Nous butinerons comme des abeilles le pus et la sanie de ton cœur.

Nous en ferons du miel, tu verras, du beau miel vert.

Quel amour nous comblerait autant que la haine ?

Bzz, bzz, bzz, bzz.

Nous serons les yeux fixes des maisons,

Le grondement du molosse qui découvrira les dents sur ton passage,

Le bourdonnement qui volera dans le ciel au-dessus de ta tête,

Les bruits de la forêt,

Les sifflements, les craquements, les chuintements, les hululements,

Nous serons la nuit,

L'épaisse nuit de ton âme.

Bzz, bzz, bzz, bzz,
Héiah ! héiah ! héiahah !
Bzz, bzz, bzz, bzz,
Nous sommes les suceuses de pus, les mouches,
Nous partagerons tout avec toi,
Nous irons chercher la nourriture dans ta
bouche et le rayon de lumière au fond de tes
yeux,
Nous t'escorterons jusqu'à la tombe
Et nous ne céderons la place qu'aux vers.
Bzz, bzz, bzz, bzz.

Elles dansent.

ÉLECTRE, *qui s'éveille.* — Qui parle ? Qui êtes-
vous ?

LES ÉRINNYES. — Bzz, bzz, bzz.

ÉLECTRE. — Ah ! vous voilà. Alors ? Nous les
avons tués pour de bon ?

ORESTE, *s'éveillant.* — Électre !

ÉLECTRE. — Qui es-tu, toi ? Ah ! tu es Oreste.
Va-t'en.

ORESTE. — Qu'as-tu donc ?

ÉLECTRE. — Tu me fais peur. J'ai rêvé que
notre mère était tombée à la renverse et qu'elle
saignait, et son sang coulait en rigoles sous
toutes les portes du palais. Touche mes mains,
elles sont froides. Non, laisse-moi. Ne me touche
pas. Est-ce qu'elle a beaucoup saigné ?

ORESTE. — Tais-toi.

ÉLECTRE, *s'éveillant tout à fait.* — Laisse-moi
te regarder : tu les as tués. C'est toi qui les as
tués. Tu es là, tu viens de t'éveiller, il n'y a rien
d'écrit sur ton visage, et pourtant tu les as tués.

ORESTE. — Eh bien ? Oui, je les ai tués ! (*Un
temps.*) Toi aussi, tu me fais peur. Tu étais si

belle, hier. On dirait qu'une bête t'a ravagé la
face avec ses griffes.

ÉLECTRE. — Une bête? Ton crime. Il m'arrache les joues et les paupières : il me semble
que mes yeux et mes dents sont nus. Et celles-ci?
Qui sont-elles?

ORESTE. — Ne pense pas à elles. Elles ne
peuvent rien contre toi.

PREMIÈRE ÉRINNYE. — Qu'elle vienne au milieu
de nous, si elle l'ose, et tu verras si nous ne pouvons rien contre elle.

ORESTE. — Paix, chiennes. A la niche! (*Les
Érinnyes grondent.*) Celle qui hier, en robe
blanche, dansait sur les marches du temple, est-il
possible que ce fût toi?

ÉLECTRE. — J'ai vieilli. En une nuit.

ORESTE. — Tu es encore belle, mais... où donc
ai-je vu ces yeux morts? Électre... tu lui ressembles ; tu ressembles à Clytemnestre. Était-ce
la peine de la tuer? Quand je vois mon crime
dans ces yeux-là, il me fait horreur.

PREMIÈRE ÉRINNYE. — C'est qu'elle a horreur
de toi.

ORESTE. — Est-ce vrai? Est-ce vrai que je te
fais horreur?

ÉLECTRE. — Laisse-moi.

PREMIÈRE ÉRINNYE. — Eh bien? Te reste-t-il le
moindre doute? Comment ne te haïrait-elle pas?
Elle vivait tranquille avec ses rêves, tu es venu,
apportant le carnage et le sacrilège. Et la voilà,
partageant ta faute, rivée sur ce piédestal, le seul
morceau de terre qui lui reste.

ORESTE. — Ne l'écoute pas.

PREMIÈRE ÉRINNYE. — Arrière! Arrière!

Chasse-le, Électre, ne te laisse pas toucher par sa
main. C'est un boucher ! Il a sur lui la fade odeur
du sang frais. Il a tué la vieille très malpropre-
ment, tu sais, en s'y reprenant à plusieurs fois.

ÉLECTRE. — Tu ne mens pas ?

PREMIÈRE ÉRINNYE. — Tu peux me croire,
j'étais là, je bourdonnais autour d'eux.

ÉLECTRE. — Et il a frappé plusieurs coups ?

PREMIÈRE ÉRINNYE. — Une bonne dizaine. Et,
chaque fois, l'épée faisait « cric » dans la bles-
sure. Elle se protégeait le visage et le ventre avec
les mains, et il lui a tailladé les mains.

ÉLECTRE. — Elle a beaucoup souffert ? Elle
n'est pas morte sur l'heure ?

ORESTE. — Ne les regarde plus, bouche-toi les
oreilles, ne les interroge pas surtout ; tu es per-
due si tu les interroges.

PREMIÈRE ÉRINNYE. — Elle a souffert horrible-
ment.

ÉLECTRE, *se cachant la figure de ses mains.* —
Ha !

ORESTE. — Elle veut nous séparer, elle dresse
autour de toi les murs de la solitude. Prends
garde : quand tu seras bien seule, toute seule et
sans recours, elles fondront sur toi. Électre, nous
avons décidé ce meurtre ensemble, et nous devons
en supporter les suites ensemble.

ÉLECTRE. — Tu prétends que je l'ai voulu ?

ORESTE. — N'est-ce pas vrai ?

ÉLECTRE. — Non, ce n'est pas vrai... Attends..
Si ! Ah ! je ne sais plus. J'ai rêvé ce crime. Mais
toi, tu l'as commis, bourreau de ta propre mère.

LES ÉRINNYES, *riant et criant.* — Bourreau !
Bourreau ! Boucher !

Oreste. — Électre, derrière cette porte, il y a
le monde. Le monde et le matin. Dehors, le soleil
se lève sur les routes. Nous sortirons bientôt, nous
irons sur les routes ensoleillées, et ces filles de
la nuit perdront leur puissance : les rayons du
jour les transperceront comme des épées.

Électre. — Le soleil...

Première Érinnye. — Tu ne reverras jamais le
soleil, Électre. Nous nous masserons entre lui et
toi comme une nuée de sauterelles et tu emporte-
ras partout la nuit sur ta tête.

Électre. — Laissez-moi ! Cessez de me tor-
turer !

Oreste. — C'est ta faiblesse qui fait leur force.
Vois : elles n'osent rien me dire. Écoute : une
horreur sans nom s'est posée sur toi et nous
sépare. Pourtant qu'as-tu donc vécu que je n'aie
vécu ? Les gémissements de ma mère, crois-tu que
mes oreilles cesseront jamais de les entendre ? Et
ses yeux immenses — deux océans démontés —
dans son visage de craie, crois-tu que mes yeux
cesseront jamais de les voir ? Et l'angoisse qui
te dévore, crois-tu qu'elle cessera jamais de me
ronger ? Mais que m'importe : je suis libre. Par
delà l'angoisse et les souvenirs. Libre. Et d'accord
avec moi. Il ne faut pas te haïr toi-même, Électre.
Donne-moi la main : je ne t'abandonnerai pas.

Électre. — Lâche ma main ! Ces chiennes
noires autour de moi m'effraient, mais moins que
toi.

Première Érinnye. — Tu vois ! Tu vois ! N'est-
ce pas, petite poupée, nous te faisons moins peur
que lui ? Tu as besoin de nous, Électre, tu es
notre enfant. Tu as besoin de nos ongles pour

fouiller ta chair, tu as besoin de nos dents pour
mordre ta poitrine, tu as besoin de notre amour
cannibale pour te détourner de la haine que tu te
portes, tu as besoin de souffrir dans ton corps
pour oublier les souffrances de ton âme. Viens !
Viens ! Tu n'as que deux marches à descendre,
nous te recevrons dans nos bras, nos baisers
déchireront ta chair fragile, et ce sera l'oubli,
l'oubli au grand feu pur de la douleur.

Les Érinnyes. — Viens ! Viens !

> Elles dansent très lentement comme
> pour la fasciner. Électre se lève.

Oreste, *la saisissant par le bras*. — N'y va
pas, je t'en supplie, ce serait ta perte.

Électre, *se dégageant avec violence*. — Ha !
je te hais.

> Elle descend les marches, les Érinnyes
> se jettent toutes sur elle.

Électre. — Au secours !

> *Entre Jupiter.*

SCÈNE II

LES MÊMES, JUPITER

Jupiter. — A la niche !

Première Érinnye. — Le maître !

> Les Érinnyes s'écartent à regret, lais-
> sant Électre étendue par terre.

Jupiter. — Pauvres enfants. (*Il s'avance vers
Électre.*) Voilà donc où vous en êtes ? La colère

et la pitié se disputent mon cœur. Relève-toi,
Électre : tant que je serai là, mes chiennes ne te
feront pas de mal. (*Il l'aide à se relever.*) Quel
terrible visage. Une seule nuit ! Une seule nuit !
Où est ta fraîcheur paysanne ? En une seule nuit
ton foie, tes poumons et ta rate se sont usés, ton
corps n'est plus qu'une grosse misère. Ah ! pré-
somptueuse et folle jeunesse, que de mal vous
vous êtes fait !

ORESTE. — Quitte ce ton bonhomme : il sied
mal au roi des Dieux.

JUPITER. — Et toi, quitte ce ton fier : il ne
convient guère à un coupable en train d'expier
son crime.

ORESTE. — Je ne suis pas un coupable, et tu
ne saurais me faire expier ce que je ne reconnais
pas pour un crime.

JUPITER. — Tu te trompes peut-être, mais
patience : je ne te laisserai pas longtemps dans
l'erreur.

ORESTE. — Tourmente-moi tant que tu voudras : je ne regrette rien.

JUPITER. — Pas même l'abjection où ta sœur
est plongée par ta faute ?

ORESTE. — Pas même.

JUPITER. — Électre, l'entends-tu ? Voilà celui
qui prétendait t'aimer.

ORESTE. — Je l'aime plus que moi-même. Mais
ses souffrances viennent d'elle, c'est elle seule
qui peut s'en délivrer : elle est libre.

JUPITER. — Et toi? Tu es libre aussi, peut-être?

ORESTE. — Tu le sais bien.

JUPITER. — Regarde-toi, créature impudente et

stupide : tu as grand air, en vérité, tout recro-
quevillé entre les jambes d'un Dieu secourable,
avec ces chiennes affamées qui t'assiègent. Si tu
oses prétendre que tu es libre, alors il faudra
vanter la liberté du prisonnier chargé de chaînes,
au fond d'un cachot, et de l'esclave crucifié.

ORESTE. — Pourquoi pas ?

JUPITER. — Prends garde : tu fais le fanfaron
parce qu'Apollon te protège. Mais Apollon est
mon très obéissant serviteur. Si je lève un doigt,
il t'abandonne.

ORESTE. — Eh bien, lève le doigt, lève la main
entière.

JUPITER. — A quoi bon ? Ne t'ai-je pas dit que
je répugnais à punir ? Je suis venu pour vous
sauver.

ÉLECTRE. — Nous sauver ? Cesse de te moquer,
maître de la vengeance et de la mort, car il n'est
pas permis — fût-ce à un Dieu — de donner à
ceux qui souffrent un espoir trompeur.

JUPITER. — Dans un quart d'heure, tu peux
être hors d'ici.

ÉLECTRE. — Saine et sauve ?

JUPITER. — Tu as ma parole.

ÉLECTRE. — Qu'exigeras-tu de moi en retour ?

JUPITER. — Je ne te demande rien, mon enfant.

ÉLECTRE. — Rien ? T'ai-je bien entendu, Dieu
bon, Dieu adorable ?

JUPITER. — Ou presque rien. Ce que tu peux
me donner le plus aisément : un peu de repentir.

ORESTE. — Prends garde, Électre : ce rien
pèsera sur ton âme comme une montagne.

JUPITER, à Électre. — Ne l'écoute pas. Réponds-
moi plutôt : comment n'accepterais-tu pas de désa-

vouer ce crime ; c'est un autre qui l'a commis.
A peine peut-on dire que tu fus sa complice.

Oreste. — Électre ! Vas-tu renier quinze ans
de haine et d'espoir ?

Jupiter. — Qui parle de renier ? Elle n'a
jamais voulu cet acte sacrilège.

Électre. — Hélas !

Jupiter. — Allons ! Tu peux me faire confiance. Est-ce que je ne lis pas dans les cœurs ?

Électre, *incrédule*. — Et tu lis dans le mien
que je n'ai pas voulu ce crime ? Quand j'ai rêvé
quinze ans de meurtre et de vengeance ?

Jupiter. — Bah ! Ces rêves sanglants qui te
berçaient, ils avaient une espèce d'innocence : ils
te masquaient ton esclavage, ils pansaient les
blessures de ton orgueil. Mais tu n'as jamais
songé à les réaliser. Est-ce que je me trompe ?

Électre. — Ah ! mon Dieu, mon Dieu chéri,
comme je souhaite que tu ne te trompes pas !

Jupiter. — Tu es une toute petite fille, Électre.
Les autres petites filles souhaitent de devenir les
plus riches ou les plus belles de toutes les femmes.
Et toi, fascinée par l'atroce destin de ta race, tu
as souhaité de devenir la plus douloureuse et la
plus criminelle. Tu n'as jamais voulu le mal : tu
n'as voulu que ton propre malheur. A ton âge,
les enfants jouent encore à la poupée ou à la
marelle ; et toi, pauvre petite, sans jouets ni com-
pagnes, tu as joué au meurtre, parce que c'est
un jeu qu'on peut jouer toute seule.

Électre. — Hélas ! Hélas ! Je t'écoute et je
vois clair en moi.

Oreste. — Électre ! Électre ! C'est à présent
que tu es coupable. Ce que tu as voulu, qui peut

le savoir, si ce n'est toi ? Laisseras-tu un autre
en décider ? Pourquoi déformer un passé qui ne
peut plus se défendre ? Pourquoi renier cette
Électre irritée que tu fus, cette jeune déesse de
la haine que j'ai tant aimée ? Et ne vois-tu pas
que ce Dieu cruel se joue de toi ?

Jupiter. — Me jouer de vous ? Écoutez plutôt
ce que je vous propose : si vous répudiez votre
crime, je vous installe tous deux sur le trône
d'Argos.

Oreste. — A la place de nos victimes ?

Jupiter. — Il le faut bien.

Oreste. — Et j'endosserai les vêtements tièdes
encore du défunt roi ?

Jupiter. — Ceux-là ou d'autres, peu importe.

Oreste. — Oui ; pourvu qu'ils soient noirs,
n'est-ce pas ?

Jupiter. — N'es-tu pas en deuil ?

Oreste. — En deuil de ma mère, je l'oubliais.
Et mes sujets, faudra-t-il aussi que je les habille
de noir ?

Jupiter. — Ils le sont déjà.

Oreste. — C'est vrai. Laissons-leur le temps
d'user leurs vieux vêtements. Eh bien ? As-tu
compris, Électre ? Si tu verses quelques larmes,
on t'offre les jupons et les chemises de Clytemnestre — ces chemises puantes et souillées que tu
as lavées quinze ans de tes propres mains. Son
rôle aussi t'attend, tu n'auras qu'à le reprendre ;
l'illusion sera parfaite, tout le monde croira
revoir ta mère, car tu t'es mise à lui ressembler.
Moi, je suis plus dégoûté : je n'enfilerai pas les
culottes du bouffon que j'ai tué.

JUPITER. — Tu lèves bien haut la tête : tu as frappé un homme qui ne se défendait pas et une vieille qui demandait grâce ; mais celui qui t'entendrait parler sans te connaître pourrait croire que tu as sauvé ta ville natale, en combattant seul contre trente.

ORESTE. — Peut-être, en effet, ai-je sauvé ma ville natale.

JUPITER. — Toi ? Sais-tu ce qu'il y a derrière cette porte ? Les hommes d'Argos — tous les hommes d'Argos. Ils attendent leur sauveur avec des pierres, des fourches et des triques pour lui prouver leur reconnaissance. Tu es seul comme un lépreux.

ORESTE. — Oui.

JUPITER. — Va, n'en tire pas orgueil. C'est dans la solitude du mépris et de l'horreur qu'ils t'ont rejeté, ô le plus lâche des assassins.

ORESTE. — Le plus lâche des assassins, c'est celui qui a des remords.

JUPITER. — Oreste ! Je t'ai créé et j'ai créé toute chose : regarde. (*Les murs du temple s'ouvrent. Le ciel apparaît, constellé d'étoiles qui tournent. Jupiter est au fond de la scène. Sa voix est devenue énorme — microphone — mais on le distingue à peine.*) Vois ces planètes qui roulent en ordre, sans jamais se heurter : c'est moi qui en ai réglé le cours, selon la justice. Entends l'harmonie des sphères, cet énorme chant de grâces minéral qui se répercute aux quatre coins du ciel. (*Mélodrame.*) Par moi les espèces se perpétuent, j'ai ordonné qu'un homme engendre toujours un homme et que le petit du chien soit un chien, par moi la douce langue des marées vient

lécher le sable et se retire à heure fixe, je fais
croître les plantes, et mon souffle guide autour de
la terre les nuages jaunes du pollen. Tu n'es pas
chez toi, intrus ; tu es dans le monde comme
l'écharde dans la chair, comme le braconnier
dans la forêt seigneuriale : car le monde est bon ;
je l'ai créé selon ma volonté et je suis le Bien.
Mais toi, tu as fait le mal, et les choses t'accusent
de leurs voix pétrifiées : le Bien est partout, c'est
la moelle du sureau, la fraîcheur de la source, le
grain du silex, la pesanteur de la pierre ; tu le
retrouveras jusque dans la nature du feu et de la
lumière, ton corps même te trahit, car il se
conforme à mes prescriptions. Le Bien est en toi,
hors de toi : il te pénètre comme une faux, il
t'écrase comme une montagne, il te porte et te
roule comme une mer ; c'est lui qui permit le
succès de ta mauvaise entreprise, car il fut la
clarté des chandelles, la dureté de ton épée, la
force de ton bras. Et ce Mal dont tu es si fier,
dont tu te nommes l'auteur, qu'est-il sinon un
reflet de l'être, un faux-fuyant, une image trom-
peuse dont l'existence même est soutenue par le
Bien. Rentre en toi-même, Oreste : l'univers te
donne tort, et tu es un ciron dans l'univers. Rentre
dans la nature, fils dénaturé : connais ta faute,
abhorre-la, arrache-la de toi comme une dent
cariée et puante. Ou redoute que la mer ne se
retire devant toi, que les sources ne se tarissent
sur ton chemin, que les pierres et les rochers ne
roulent hors de ta route et que la terre ne s'effrite
sous tes pas.

ORESTE. — Qu'elle s'effrite ! Que les rochers
me condamnent et que les plantes se fanent sur

mon passage : tout ton univers ne suffira pas à
me donner tort. Tu es le roi des Dieux, Jupiter,
le roi des pierres et des étoiles, le roi des vagues
de la mer. Mais tu n'es pas le roi des hommes.

> *Les murailles se rapprochent, Jupiter*
> *réapparaît, las et voûté ; il a repris sa*
> *voix naturelle.*

JUPITER. — Je ne suis pas ton roi, larve impudente. Qui donc t'a créé ?

ORESTE. — Toi. Mais il ne fallait pas me créer
libre.

JUPITER. — Je t'ai donné ta liberté pour me
servir.

ORESTE. — Il se peut, mais elle s'est retournée
contre toi et nous n'y pouvons rien, ni l'un ni
l'autre.

JUPITER. — Enfin ! Voilà l'excuse.

ORESTE. — Je ne m'excuse pas.

JUPITER. — Vraiment ? Sais-tu qu'elle ressemble beaucoup à une excuse, cette liberté dont
tu te dis l'esclave ?

ORESTE. — Je ne suis ni le maître ni l'esclave,
Jupiter. Je *suis* ma liberté ! A peine m'as-tu créé
que j'ai cessé de t'appartenir.

ÉLECTRE. — Par notre père, Oreste, je t'en
conjure, ne joins pas le blasphème au crime.

JUPITER. — Écoute-la. Et perds l'espoir de la
ramener par tes raisons : ce langage semble assez
neuf pour ses oreilles — et assez choquant.

ORESTE. — Pour les miennes aussi, Jupiter. Et
pour ma gorge qui souffle les mots et pour ma
langue qui les façonne au passage : j'ai de la
peine à me comprendre. Hier encore tu étais un

voile sur mes yeux, un bouchon de cire dans mes
oreilles ; c'était hier que j'avais une excuse : tu
étais mon excuse d'exister, car tu m'avais mis
au monde pour servir tes desseins, et le monde
était une vieille entremetteuse qui me parlait de
toi, sans cesse. Et puis tu m'as abandonné.

JUPITER. — T'abandonner, moi ?

ORESTE. — Hier, j'étais près d'Électre ; toute
ta nature se pressait autour de moi ; elle chantait
ton Bien, la sirène, et me prodiguait les conseils.
Pour m'inciter à la douceur, le jour brûlant
s'adoucissait comme un regard se voile ; pour me
prêcher l'oubli des offenses, le ciel s'était fait
suave comme un pardon. Ma jeunesse, obéissant
à tes ordres, s'était levée, elle se tenait devant
mon regard, suppliante comme une fiancée qu'on
va délaisser : je voyais ma jeunesse pour la dernière fois. Mais, tout à coup, la liberté a fondu
sur moi et m'a transi, la nature a sauté en arrière,
et je n'ai plus eu d'âge, et je me suis senti tout
seul, au milieu de ton petit monde bénin, comme
quelqu'un qui a perdu son ombre ; et il n'y a
plus rien eu au ciel, ni Bien ni Mal, ni personne
pour me donner des ordres.

JUPITER. — Eh bien ? Dois-je admirer la brebis
que la gale retranche du troupeau, ou le lépreux
enfermé dans son lazaret ? Rappelle-toi, Oreste :
tu as fait partie de mon troupeau, tu paissais
l'herbe de mes champs au milieu de mes brebis.
Ta liberté n'est qu'une gale qui te démange, elle
n'est qu'un exil.

ORESTE. — Tu dis vrai : un exil.

JUPITER. — Le mal n'est pas si profond : il
date d'hier. Reviens parmi nous. Reviens : vois

comme tu es seul, ta sœur même t'abandonne.
Tu es pâle, et l'angoisse dilate tes yeux. Espères-
tu vivre ? Te voilà rongé par un mal inhumain,
étranger à ma nature, étranger à toi-même.
Reviens : je suis l'oubli, je suis le repos.

ORESTE. — Étranger à moi-même, je sais. Hors
nature, contre nature, sans excuse, sans autre
recours qu'en moi. Mais je ne reviendrai pas sous
ta loi : je suis condamné à n'avoir d'autre loi que
la mienne. Je ne reviendrai pas à ta nature : mille
chemins y sont tracés qui conduisent vers toi,
mais je ne peux suivre que mon chemin. Car je
suis un homme, Jupiter, et chaque homme doit
inventer son chemin. La nature a horreur de
l'homme, et toi, toi, souverain des Dieux, toi
aussi tu as les hommes en horreur.

JUPITER. — Tu ne mens pas : quand ils te res-
semblent, je les hais.

ORESTE. — Prends garde : tu viens de faire
l'aveu de ta faiblesse. Moi, je ne te hais pas. Qu'y
a-t-il de toi à moi ? Nous glisserons l'un contre
l'autre sans nous toucher, comme deux navires.
Tu es un Dieu et je suis libre : nous sommes
pareillement seuls et notre angoisse est pareille.
Qui te dit que je n'ai pas cherché le remords, au
cours de cette longue nuit ? Le remords. Le sommeil. Mais je ne peux plus avoir de remords. Ni
dormir.

Un silence.

JUPITER. — Que comptes-tu faire ?

ORESTE. — Les hommes d'Argos sont mes
hommes. Il faut que je leur ouvre les yeux.

JUPITER. — Pauvres gens ! Tu vas leur faire
cadeau de la solitude et de la honte, tu vas arra-

cher les étoffes dont je les avais couverts, et tu leur montreras soudain leur existence, leur obscène et fade existence, qui leur est donnée pour rien.

ORESTE. — Pourquoi leur refuserais-je le désespoir qui est en moi, puisque c'est leur lot ?

JUPITER. — Qu'en feront-ils ?

ORESTE. — Ce qu'ils voudront : ils sont libres, et la vie humaine commence de l'autre côté du désespoir.

Un silence.

JUPITER. — Eh bien, Oreste, tout ceci était prévu. Un homme devait venir annoncer mon crépuscule. C'est donc toi ? Qui l'aurait cru, hier, en voyant ton visage de fille ?

ORESTE. — L'aurais-je cru moi-même ? Les mots que je dis sont trop gros pour ma bouche, ils la déchirent ; le destin que je porte est trop lourd pour ma jeunesse, il l'a brisée.

JUPITER. — Je ne t'aime guère et pourtant je te plains.

ORESTE. — Je te plains aussi.

JUPITER. — Adieu, Oreste. (*Il fait quelques pas.*) Quant à toi, Électre, songe à ceci : mon règne n'a pas encore pris fin, tant s'en faut — et je ne veux pas abandonner la lutte. Vois si tu es avec moi ou contre moi. Adieu.

ORESTE. — Adieu.

Jupiter sort.

SCÈNE III

LES MÊMES, moins JUPITER

Électre se lève lentement.

ORESTE. — Où vas-tu ?

ÉLECTRE. — Laisse-moi. Je n'ai rien à te dire.

ORESTE. — Toi que je connais d'hier, faut-il te perdre pour toujours ?

ÉLECTRE. — Plût aux Dieux que je ne t'eusse jamais connu.

ORESTE. — Électre ! Ma sœur, ma chère Électre ! Mon unique amour, unique douceur de ma vie, ne me laisse pas tout seul, reste avec moi.

ÉLECTRE. — Voleur ! Je n'avais presque rien à moi, qu'un peu de calme et quelques rêves. Tu m'as tout pris, tu as volé une pauvresse. Tu étais mon frère, le chef de notre famille, tu devais me protéger : mais tu m'as plongée dans le sang, je suis rouge comme un bœuf écorché ; toutes les mouches sont après moi, les voraces, et mon cœur est une ruche horrible !

ORESTE. — Mon amour, c'est vrai, je t'ai tout pris, et je n'ai rien à te donner — que mon crime. Mais c'est un immense présent. Crois-tu qu'il ne pèse pas sur mon âme comme du plomb ? Nous étions trop légers, Électre : à présent nos pieds s'enfoncent dans la terre comme les roues d'un char dans une ornière. Viens, nous allons

partir et nous marcherons à pas lourds, courbés
sous notre précieux fardeau. Tu me donneras la
main et nous irons...

ÉLECTRE. — Où ?

ORESTE. — Je ne sais pas ; vers nous-mêmes.
De l'autre côté des fleuves et des montagnes il
y a un Oreste et une Électre qui nous attendent.
Il faudra les chercher patiemment.

ÉLECTRE. — Je ne veux plus t'entendre. Tu ne
m'offres que le malheur et le dégoût. (*Elle bondit
sur la scène. Les Érinnyes se rapprochent lentement.*) Au secours ! Jupiter, roi des Dieux et des
hommes, mon roi, prends-moi dans tes bras,
emporte-moi, protège-moi. Je suivrai ta loi, je
serai ton esclave et ta chose, j'embrasserai tes
pieds et tes genoux. Défends-moi contre les
mouches, contre mon frère, contre moi-même, ne
me laisse pas seule, je consacrerai ma vie entière
à l'expiation. Je me repens, Jupiter, je me
repens.

Elle sort en courant.

SCÈNE IV

ORESTE, LES ÉRINNYES

*Les Érinnyes font un mouvement pour
suivre Électre. La première Érinnye les
arrête.*

PREMIÈRE ÉRINNYE. — Laissez-la, mes sœurs,
elle nous échappe. Mais celui-ci nous reste, et

pour longtemps, je crois, car sa petite âme est coriace. Il souffrira pour deux.

> *Les Érinnyes se mettent à bourdonner*
> *et se rapprochent d'Oreste.*

ORESTE. — Je suis tout seul.

PREMIÈRE ÉRINNYE. — Mais non, ô le plus mignon des assassins, je te reste : tu verras quels jeux j'inventerai pour te distraire.

ORESTE. — Jusqu'à la mort je serai seul. Après...

PREMIÈRE ÉRINNYE. — Courage, mes sœurs, il faiblit. Regardez, ses yeux s'agrandissent : bientôt ses nerfs vont résonner comme les cordes d'une harpe sous les arpèges exquis de la terreur.

DEUXIÈME ÉRINNYE. — Bientôt la faim le chassera de son asile : nous connaîtrons le goût de son sang avant ce soir.

ORESTE. — Pauvre Électre !

> *Entre le Pédagogue.*

SCÈNE V

ORESTE, LES ÉRINNYES, LE PÉDAGOGUE

LE PÉDAGOGUE. — Çà, mon maître, où êtes-vous ? On n'y voit goutte. Je vous apporte quelque nourriture : les gens d'Argos assiègent le temple et vous ne pouvez songer à en sortir : cette nuit, nous essaierons de fuir. En attendant, mangez. (*Les Érinnyes lui barrent la route.*) Ha ! qui sont celles-là ? Encore des superstitions. Que je regrette le doux pays d'Attique, où c'était ma raison qui avait raison.

ORESTE. — N'essaie pas de m'approcher, elles te déchireraient tout vif.

LE PÉDAGOGUE. — Doucement, mes jolies. Tenez, prenez ces viandes et ces fruits, si mes offrandes peuvent vous calmer.

ORESTE. — Les hommes d'Argos, dis-tu, sont massés devant le temple ?

LE PÉDAGOGUE. — Oui-da ! Et je ne saurais vous dire qui sont les plus vilains et les plus acharnés à vous nuire, de ces belles fillettes que voilà ou de vos chers sujets.

ORESTE. — C'est bon. (*Un temps.*) Ouvre cette porte.

LE PÉDAGOGUE. — Êtes-vous fou ? Ils sont là derrière, avec des armes.

ORESTE. — Fais ce que je te dis.

LE PÉDAGOGUE. — Pour cette fois vous m'autoriserez bien à vous désobéir. Ils vous lapideront, vous dis-je.

ORESTE. — Je suis ton maître, vieillard, et je te commande d'ouvrir cette porte.

> *Le Pédagogue entr'ouvre la porte.*

LE PÉDAGOGUE. — Oh ! là, là ! Oh ! là, là !

ORESTE. — A deux battants !

> *Le Pédagogue entrouvre la porte.*
> *cache derrière l'un des battants. La foule*
> *repousse violemment les deux battants*
> *et s'arrête interdite sur le seuil. Vive*
> *lumière.*

SCÈNE VI

LES MÊMES, LA FOULE

CRIS DANS LA FOULE.
A mort ! A mort ! Lapidez-le ! Déchirez-le ! A mort !

ORESTE, *sans les entendre.* — Le soleil !

LA FOULE. — Sacrilège ! Assassin ! Boucher ! On t'écartèlera. On versera du plomb fondu dans tes blessures.

UNE FEMME. — Je t'arracherai les yeux.

UN HOMME. — Je te mangerai le foie.

ORESTE *s'est dressé.* — Vous voilà donc, mes sujets très fidèles ! Je suis Oreste, votre roi, le fils d'Agamemnon, et ce jour est le jour de mon couronnement.

          La foule gronde, décontenancée.

Vous ne criez plus ? (*La foule se tait.*) Je sais : je vous fais peur. Il y a quinze ans, jour pour jour, un autre meurtrier s'est dressé devant vous, il avait des gants rouges jusqu'au coude, des gants de sang, et vous n'avez pas eu peur de lui car vous avez lu dans ses yeux qu'il était des vôtres et qu'il n'avait pas le courage de ses actes. Un crime que son auteur ne peut supporter, ce n'est plus le crime de personne, n'est-ce pas ? C'est presque un accident. Vous avez accueilli le criminel comme votre roi, et le vieux crime s'est mis à rôder entre les murs de la ville, en gémis-

sant doucement, comme un chien qui a perdu son
maître. Vous me regardez, gens d'Argos, vous
avez compris que mon crime est bien à moi ; je
le revendique à la face du soleil, il est ma raison
de vivre et mon orgueil, vous ne pouvez ni me
châtier ni me plaindre, et c'est pourquoi je vous
fais peur. Et pourtant, ô mes hommes, je vous
aime, et c'est pour vous que j'ai tué. Pour vous.
J'étais venu réclamer mon royaume et vous
m'avez repoussé parce que je n'étais pas des
vôtres. A présent, je suis des vôtres, ô mes sujets,
nous sommes liés par le sang, et je mérite d'être
votre roi. Vos fautes et vos remords, vos angoisses
nocturnes, le crime d'Égisthe, tout est à moi, je
prends tout sur moi. Ne craignez plus vos morts,
ce sont *mes* morts. Et voyez : vos mouches fidèles
vous ont quittés pour moi. Mais n'ayez crainte,
gens d'Argos : je ne m'assiérai pas, tout sanglant,
sur le trône de ma victime : un Dieu me l'a offert
et j'ai dit non. Je veux être un roi sans terre et
sans sujets. Adieu, mes hommes, tentez de vivre :
tout est neuf ici, tout est à commencer. Pour moi
aussi la vie commence. Une étrange vie. Écoutez
encore ceci : un été, Scyros fut infestée par les
rats. C'était une horrible lèpre, ils rongeaient
tout ; les habitants de la ville crurent en mourir.
Mais, un jour, vint un joueur de flûte. Il se dressa
au cœur de la ville — comme ceci. (*Il se met
debout.*) Il se mit à jouer de la flûte et tous les
rats vinrent se presser autour de lui. Puis il se
mit en marche à longues enjambées, comme ceci,
(*il descend du piédestal*) en criant aux gens de
Scyros : « Écartez-vous ! » (*La foule s'écarte.*)
Et tous les rats dressèrent la tête en hésitant —

comme font les mouches. Regardez ! Regardez les
mouches ! Et puis tout d'un coup ils se précipi-
tèrent sur ses traces. Et le joueur de flûte avec
ses rats disparut pour toujours. Comme ceci.

> *Il sort ; les Érinnyes se jettent en hur-*
> *lant derrière lui.*

Rideau.

ACHEVÉ D'IMPRIMER
LE 15 JUIN 1962 SUR LES PRESSES
DE L'IMPRIMERIE OFFSET JEAN GROU-RADENEZ
27-29, RUE DE LA SABLIÈRE, A PARIS
DÉPÔT LÉGAL : 2e TRIMESTRE 1947
No D'ÉDITION : 8930

Imprimé en France